온라인 게임의 신부는
여자아이가 아니라고
생각한 거야?
Lv. 20
Kineko shibai
키네코 시바이 지음
ill: Hisasi

CONTENTS

And you thought there is Never a girl online?

DESIGNED BY AFTERGLOW

And you thought there is Never a girl online?
character level up
Lv78 HP/5020 MP/1462
Name Ako
Job Cleric
Sex Female?
Atk/43+90 Mat/143+0
Def/66+22 Mdf/115+18
Lv105 HP/14770 MP/3905
Name Ako
Job Holy Cleric
Sex Female
Atk/78+90 Mat/244+0
Def/93+90 Mdf/204+45
Lv94 HP/17457 MP/702
Name Rusian
Job Armor Knight
Sex Male
Atk/79+229 Mat/35+49
Def/106+250 Mdf/74+5
Lv109 HP/35677 MP/1412
Name Rusian
Job Imperial Guard
Sex Male
Atk/148+256 Mat/51+50
Def/185+295 Mdf/96+20
Lv87 HP/12077 MP/454
Name Schwein
Job Sword Dancer
Sex Male?
Atk/125+276 Mat/13+56
Def/71+101 Mdf/39+10
Lv107 HP/26680 MP/782
Name Schwein
Job Dragon Knight
Sex Male?
Atk/312+340 Mat/13+77
Def/81+151 Mdf/41+21
Lv94 HP/13930 MP/5684
Name Apricot
Job Law Wizzard
Sex Male?
Atk/73+150 Mat/470+360×1.8
Def/86+278 Mdf/252+30
Lv105 HP/20300 MP/8244
Name Apricot
Job Arch Mage
Sex Male?
Atk/73+190 Mat/612+680×1.8
Def/86+290 Mdf/316+55
우승
Lv90 HP/17457 MP/2002
Name Nekohime
Job Cardinal
Sex Female?
Atk/42+93 Mat/184+223
Def/89+67 Mdf/153+25
Lv110 HP/33140 MP/5202
Name Nekohime
Job Holy Cleric
Sex Female
Atk/42+135 Mat/412+260
Def/164+144 Mdf/252+40
Lv75 HP/5803 MP/612
Name Shushu
Job Monk
Sex Female?
Atk/79+170 Mat/66+40
Def/78+142 Mdf/81+3
Lv104 HP/21950 MP/1162
Name Shushu
Job Asyura
Sex Female
Atk/203+212 Mat/78+94
Def/124+192 Mdf/91+25
Lv10 HP/171 MP/31
Name Sette
Job Novice
Sex Female?
Atk/11+45 Mat/12+0
Def/10+66 Mdf/12+0
Lv104 HP/19560 MP/2944
Name Sette
Job Faust
Sex Female
Atk/120+180 Mat/202+234
Def/110+180 Mdf/124+15
Lv32 HP/1259 MP/145
Name Mikan
Job Archer
Sex Female
Atk/47+77 Mat/21+0
Def/26+43 Mdf/30+0
Lv99 HP/17990 MP/3688
Name Mikan
Job Hunter
Sex Female
Atk/220+181 Mat/34+18
Def/89+75 Mdf/52+8

힘내라, 복각 이벤트!
리턴 오브
Legendary Age
레전더리 에이지
니시무라 히데키/루시안
현실 세계의
니시무라 히데키
방어가 단단하다고 정평이 난
히데키도 마침내 업보를
청산할 때인가?
되풀이되는 프러포즈 파형
공격 앞에서,
그가 선택한 길은— (계속)
타마키 아코/아코
현실 세계의
타마키 아코
온라인 게임의 신부,
마침내 현실에서도
결혼하기 위해
실력 행사에 나선다!
프러포즈의 귀신이 된
아코 앞에선
어떠한 방해도
무의미……?
후타바 미캉/미캉
현실 세계의
후타바 미캉
못난 우먼 동맹이기에
아코 파벌입니다.
……아니, '사실 두 사람의
결혼이니뭐니
하는 것보다 성적이
더 위험하니까,
너는 공부해주세요.
그런 부분에서
아코의 동료가 되지
않아도 되니깐!
세가와 아카네/슈바인
현실 세계의
세가와 아카네
부장으로서 자각도 생겼고
온라인 게임도 기세등등!한 아카네 씨.
아코와 히데키를 응원하지 않는 건
아니지만, 진심 프러포즈 연타는
진심 사이코인 게 아닐까……?
라고 생각한다.
굳이 따지자면 히데키의 편.
파트너니까.
아키야마 나나코/세테
현실 세계의
아키야마 나나코
굳이 정하라면,
즐거워 보이는 쪽에 붙을래~.
라며 일단은 관망 중인
아키야마 씨.
아카네의 동향에
달렸으려나……
하지만, 결혼하더라도
즐거우면 되지 않을까?
사이토 유이/고양이공주
현실 세계의
사이토 선생님
학생들을 다음 학년으로,
다음 학교로
무사히 보낼 수
있을 것 같아
안심 중인
사이토 선생님의 그림.
두 사람은 그냥
결혼하더라도
괜찮지 않을까냐……
라고 생각한다.
고쇼인 쿄우/애플리코트
현실 세계의
고쇼인 쿄우
수험 전이기에
아코와 히데키의
결혼에 관해서는
노 코멘트라는
걸로……
라는 전 부장이자
전 학생회장.
그래도 전 길마는
되지 않을거야!

온라인 게임의 신부는 여자아이가 아니라고 생각한 거야?

And You thought there is Never

키네코 시바이 지음
Hisasi 일러스트
이경인 옮김

Lv. 20

프롤로그
“안 돼요”
And You thought there is Never a girl online?

게임을 시작한 뒤보다, 시작하기 전이 더 즐거웠다.

그런 경험을 해본 적은 없어?

발매 전 게임이나 서비스 개시 전 온라인 게임, 소셜 게임의 정보를 조사할 때는 은근히 즐겁다고 생각한다.

공식 사이트의 게임 시스템 해설이나 직업 소개, 스테이터스에 대한 설명을 읽고 어떤 캐릭터를 만들지 고민하거나, 이런 플레이를 하자고 상상하거나.

그런 시간은 굉장히 즐겁다. 정말로 행복하단 말이지.

그런데, 그렇게나 차분히 생각했는데.

실제로 플레이해보니, 어째서인지 바로 질려버린다. 정말로 초 단위로 질린다. 진짜로 단숨에 의욕을 잃어버린다. 공식 사이트를 바라보던 시간이 훨씬 길다.

어라? 이거 시작하기 전이 제일 즐거웠네? ―라는 현상인데, 경험 없어? ―없나. 응. 그쪽이 정상이라고 생각합니다.

뭐, 슬프지만 일부 게이머에게는 자주 있는 경험. 그런 느낌이지.

말 나온 김에. 레전더리 에이지로 따지자면, 게임을 시작할 때의 나는 원래 대검사를 하려고 했었다. 단순히 멋있었으니까.

처음에 만든 대검사는 고양이공주 씨 건으로 헤어졌지만, 실은 그 전부터 별로 즐겁지는 않았다. 아무래도 순수 딜러는 뭔가 와닿지 않았으니까.

오히려 다른 자신이 되어보자는 이유로 시작한 탱커에 빠져버렸단 말이지. 게임을 시작하기 전에 했던 상상과는 전혀 다른 일을 하고 있구나 싶다.

나는 그런 식으로 자신에게 맞는 직업을 찾아서 즐기고 있지만— 전혀 다른 직업을 고르는 사람도 있단 말이지.

◆쥬에몬 : 렙업 좀 도와줄 수 있을까?

우연히 마을에서 마주친 모르는 플레이어에게 그런 말을 들은 건 휴일 아침.

아직 길원 중에는 아무도 일어나지 않아서 노점을 돌고 있을 때였다.

갑작스러운 제안이었지만 의외는 아니었다. 캐릭터명을 본 순간 그런 말을 할 것 같았으니까.

◆루시안 : 에몬 씨, 또 새 캐릭터?

◆쥬에몬 : 이번에는 완전 지원형 바드다.

역시 알맹이가 친구였다.

쥬에몬이라는 캐릭터는 모르지만, 이치에몬이나 고에몬이라든가, 이름 뒤에 에몬이 붙는 다른 캐릭터는 알고 있다.

아무래도 새 캐릭터를 만든 모양이다.

지원형 시인. 딜은 없지만 서포트 능력은 높으니까 다수 인원팟에서는 대활약. 그러나 솔로 능력은 괴멸적인 빌드다.

◆루시안 : 또 초반이 힘들어 보이는 빌드를 골랐네.

◆쥬에몬 : 잠깐 전직까지 부탁해.

◆루시안 : 한가하니까 딱히 상관없긴 하지만.

에몬 씨를 데리고 초심자에게는 익숙한 포와링 섬으로.

탱커가 정기적으로 어그로를 모아주면 마음 놓고 때릴 수 있기에, 빠른 레벨링이 가능하다.

◆루시안 : 힐러라면 힐 어그로로 타깃을 고정하고, 버프도 걸 수 있으니까 더 빠를 텐데…….

◆쥬에몬 : 나는 네가 좋아.

어머나, 꽃미남. 반해버릴 것 같아.

그렇게 효율은 좋지 않았지만 느긋하게 레벨링을 하면서 잡담을 나눴다.

◆루시안 : 그나저나 이건 몇 번째 캐릭터? 요전에는 몽크였잖아?

◆쥬에몬 : 이름으로 알잖아. 열 번째 캐릭터야. 몽크는 90까지 키웠으니까 다음으로 넘어왔어.

◆루시안 : 그거, 너무 많이 만든 거 아냐?

에몬 씨는 내가 아는 가운데서 캐릭터를 제일 많이 쓰는 사람이다.

그것도 바로 포기하는 게 아니라, 레벨을 꽤 많이 올리고 나서 다음 캐릭터를 고르는 타입.

장비도 레벨도, 한 캐릭터에 집중하는 사람보다 훨씬 약하다.

그래도 대부분의 직업을 경험했으니까 이쪽이 하고 싶은 걸 잘 알아서, 함께 플레이하기는 편하다. 친구도 많은 사람이다.

그나저나 열 번째 캐릭터라니, 좀처럼 맞는 직업이 없는 걸까? 아님 질리기 쉬운 성격인 걸까.

이걸로 정하자는 생각은 안 하는 건가? 그래서 물어봤다.

◆루시안 : 아직 와닿는 캐릭터가 없어? 어느 게 마음에 든다든가 그런 건?

◆쥬에몬 : 그야 처음에 만든 위즈가 제일이었지. 탱커 메이지 느낌의 마법사.

◆루시안 : 엥? 처음이 제일 마음에 들었어?

◆쥬에몬 : 그 이후부터 만든 것들의 감상은 뭐, 생각했던 그대로였어. 전부 예상대로고.

◆루시안 : 예상대로라고……?

어떻게 된 거지?

마음에 안 든다는 걸 알면서 만들었어? 게다가 시간을 들여서 레벨까지 올려놓고?

◆루시안 : 왜 또 그런 고행을…….

◆쥬에몬 : 그야 물론, 예상 밖을 기대해서지.

에몬 씨는 나이프를 휘두르면서 채팅을 이어갔다.

◆쥬에몬 : 나한테는 절대 안 맞는다고 생각했는데, 해보니까 딱 들어맞는다.

◆쥬에몬 : 그런 무언가를 찾고 있어.

◆루시안 : 뭐가 좋은지는 알고 있으면서, 굳이 좋아할 수 있는 다른 걸 찾는다고?

◆쥬에몬 : 알고 있는 것보다 모르는 걸 알고 싶거든.

◆루시안 : (철학)이군요.

그런 깊은 이유가 있을 줄이야.

그냥 대충 키우는 건 줄 알았다.

◆루시안 : 틀림없이 금방 지겨워져서 직업을 휙휙 바꾸는 줄 알았는데…….

◆쥬에몬 : 실례네. 이쪽은 외길 직업 수십 년째인 고집불통 아저씨인데.

◆루시안 : ……수십 년?

수십 년이라니, 진짜로 수십 년?

일을 시작한 지 수십 년…… 에몬 씨, 지금 나이는 대체……?

◆쥬에몬 : 게임은 정말 편하다니까. 나잇살 먹고 자아 찾기 같은 건 부끄러워서 못 한단 말이지.

◆루시안 : 그, 그러게요. 선배.

◆쥬에몬 : 바보 취급하는 거야?

◆루시안 : 천만의 말씀입니다, 선배.

대선배였다.

진짜로, 친구가 된 지 몇 년째인데 처음 알았다. 너무나 놀라서 몸이 떨린다.

◆쥬에몬 : 애초에 너도 젊은데 수수한 일만 하잖냐. 좀 더 앞으로 나가자는 생각은 안 하는 거냐?

◆루시안 : 탱커가 제일 앞인데요.

◆쥬에몬 : 궤변 늘어놓지 마.

◆루시안 : 넵.

◆쥬에몬 : 애초에 젊으니까 좀 더 욕심을 내라고. 게임이라면 다른 신부도 시험해볼 수 있잖냐.

◆루시안 : 무서운 소리 하지 말아 주십쇼.

◆쥬에몬 : 잘 들어. 아마 모르겠지만, 마누라랑 다다미는 새것이 좋다는 말이 있어서 말이지.

◆루시안 : 우리 집은 다다미식이 아님다.

설교처럼 되어버린 에몬 선배의 이야기를 흘려들으면서 다음 포포포와링의 어그로를 끌었다.

자신에 대해 아는 사람이 자신의 모르는 면을 찾는다—그런 일도 있는 모양이다.

나는 지금 직업과 만나고 나서 다른 걸 하고 싶다는 생각은 거의 하지 않게 되었다.

하지만 어쩌면.

자신이 모르는, 좀 더 좋은 자신이 있을지도 모른다는 생각을 조금 하게 되었다.

◆루시안 : 그러니까, 말이지.

◆아코 : 다른 신부를 만드는 건 용서할 수 없거든요?!

◆루시안 : 그쪽의 허가를 받으려는 게 아니니까!

신부를 몇 명이나 거느릴 능력이 있었다면 이렇게 고생하지 않는다고!

◆아코 : 다행이에요. 하마터면피로피를씻는싸움이벌어질뻔했어요.

◆루시안 : 읽기 힘드니까 띄어서 써줘!

◆아코 : 피로로 파를 씻는 쌈이 버려질 뻔했어요.

◆루시안 : 오타를 억지로 밀어붙이지 말아 줘!

그보다, 굉장히 무서운 단어가 나왔는데.

◆루시안 : 최악의 사태가 되면 피로 피를 씻게 되는 건가……나는 어떻게 되는 거야…….

할 생각은 없지만, 했다는 오해를 샀을 때가 무섭다.

◆아코 : 루시안에게는, 딱히 아무것도.

◆루시안 : 전에도 그렇게 말했던가. 그럼 상대에게 뭘……?

말하자마자 아코의 머리 위에 하트 마크와 검 마크와 승리의 포즈와 분노 마크와 폭발 마크가 물 흐르듯이 떠올랐다.

무서운 일밖에 상상할 수 없는 감정표현의 나열!

◆아코 : 이런 느낌이에요!

◆루시안 : 죄송합니다, 이제 됐습니다. 생각할 필요조차 미래영겁 없습니다. 실행에 옮기기 전에 먼저 나한테 와주세요.

생각 이상으로 진심이었다!

바람피울 생각은 조금도 없지만!

◆루시안 : 으으음, 나는 말이지. 아코는 장래의 꿈을 주부로 정했지만, 좀 더 어울리는 직업도 있을지도 모른다는 이야기를 하려고 했거든.

◆아코 : 아뇨아뇨, 주부 이상으로 좋아하는 직업은 없어요!

◆루시안 : 해보면 다를지도 모르잖아.

◆아코 : 알겠습니다. 그 에몬 씨와 똑같이 수십 년 동안 시험해볼게요! 일단 90세까지!

◆루시안 : 그건 평생이잖아?!

◆아코 : 그러니까 현실에서 결혼해주세요!

◆루시안 : 안 돼 요.

◆아코 : 어째서인가요오오오오오오오!

◆루시안 : 현실 프러포즈를 게임 안에서 끝내려고 하지 마!

◆아코 : 현실에서 말해도 오케이 해주지 않잖아요오오오!

으으음, 이제 눈치채셨을 거라 생각하지만.

지금은 좀, 성가신 일이 벌어지고 있습니다.

1장
"반드시 제 동료 악마로 삼을 테니까요!"

■2월 1일 금요일

날씨 변동이 없는 이 세계에서 하늘의 색은 절대적이다.

밤하늘은 항상 검고, 저녁놀은 항상 붉고, 창천은 항상 푸르다.

그건 세계가 끝날 때까지 변하지 않는 룰이라고, 모두가 생각했다.

그러나 지금, 창공은 은빛으로 물들었다.

대기의 색이 아니다. 그것은 은색의 날아다니는 무언가.

익시온 비트라는 이름이 붙은 은색의 괴물이 하늘을 물들일 정도의 대군으로 쳐들어온 것이다.

은색의 무리 중앙에는 기하학적인 거대 구조체가 떠 있고, 원리도 모르는 광학 병기를 사방에 쏴대고 있다.

마법 과학의 결정체인 괴물 군단을 상대하는 건, 구시대적인 배 군단이다.

대포를 장비한 고풍스러운 갤리온선이 엉뚱하게도 하늘을 날며 공중요새에 포화를 퍼붓고 있다.

한 척 한 척에 역전의 모험가가 타고 있는 그 전력은 고대

문명의 유산조차도 충분히 타도할 수 있으리라—.

—뭐, 이런 시추에이션인 겁니다.

◆애플리코트 : 좌현에서 직격, 온다! 우현 쪽으로 날려가지 마라!

커다란 충격. 은색의 빛이 작렬해서 배가 기우뚱 흔들렸다.

◆고양이공주 : 대미지 컨트롤! 퀸 고양이공주 호는 아직 날 수 있는 건가냐?!

선장석에 앉은 고양이공주 씨가 광역 채팅으로 외쳤다.

◆아코 : 수리반, 일이 너무 많아서 따라갈 수 없어요! 도와줄 사람을 보내주세요!

아코가 수리 요정을 데리고 선상을 달리며 말했다.

채팅을 보는 와중에도 이곳저곳에서 폭발이 일어나서 배가 더욱 기울어졌다.

◆슈바인 : 갑판 전투부대, 오래는 못 버텨! 날벌레 숫자가 너무 많아!

이크, 눈을 뗀 사이 이쪽도 꽤 위험해졌다.

아무리 그래도 이건 붙잡고 있기 힘들겠다 싶은 숫자의 적이 갑판을 메우기 시작했다.

◆슈바인 : 엄청난 난전이잖아. 적의 숫자를 파악할 수 없다고!

◆루시안 : 대난전! 스매시 플레이어즈!

◆슈바인 : 먼저 너부터 버스트 시켜버린다. 진지하게 하라고.

◆루시안 : 쏘리쏘리.

농담을 늘어놓고 있지만, 실제로 힘든 상황이다.

갑판에서 싸우는 나나 슈바인, 다른 플레이어는 익시온 비트의 대군과 대난투.

숫자가 많기만 한 게 아니라, 그런대로 강하다. 일대일이라면 여유롭지만, 숫자의 폭력은 치사하다고 생각합니다.

여기는 공중, 비행선 위. 전원이 죽으면 패배하는 건 당연하고, 배 위니까 버스트를 당해도 패배다.

힐러 대부분이 수리반에 가 있어서 상당히 힘겨운 전투를 강요받고 있다.

솔직히, 포션의 지출이 제일 힘듭니다!

◆고양이공주 : 적의 대미지는 어떤 상탠가냐!

◆세테 : 포수가 보고~, 이대로 가면 탄은 충분할 것 같아~.

◆카보땅 : 좌현 탄막이 너무 충분해서 우현이 한가한데~?

좌현의 대포에서 연속해서 포탄이 발사되어 배에서 양면 두 개 정도 떨어진 거리에 떠오른, 무척이나 미래적인 구조를 가진 공중요새에 명중.

우리가 승선한 퀸 고양이공주 호 말고도 대량의 배가 주변을 날며 포격을 계속하고 있다.

대항하기 위해 적선에서도 빔을 난사하고 있어서, 그걸 맞을 때마다 배가 휘청휘청 흔들린다. 뭐랄까, 전투 중인데 멀미 날 것 같다.

◆고양이공주 : 익시온, 남은 HP 1할 이하다냐! 이제 곧 밀어붙일 수 있다냐!

◆애플리코트 : 탈락선도 꽤 나왔습니다. 전체 화력이 내려가고 있어요.

◆ 고양이공주 : 현실적인 이야기는 듣고 싶지 않다냐!

◆애플리코트 : 거기서 소개하고 싶은 게 이것! 순간적으로 배의 대미지를 회복시키는 아이템, 긴급 수리 천사!

마스터가 짜자자잔짜잔~, 하는 SE를 읊조리며 천사를 높이 들었다.

◆애플리코트 : 가격은 양심적, 게임 외부 머니 500엔! 연타할 준비는 되어있습니다만, 어쩌시겠습니까? 선장님.

◆루시안 : 그거 절대 연타하면 안 되는 녀석! 단숨에 만 단위가 날아간다고!

◆세테 : 이 배, 아직 버틸 수 있으니까! 믿고 기다려줘!

◆고양이공주 : 현금을 쓰는 건 안 된다냐아아아아!

고양이공주 선장은 참모의 어드바이스에 귀를 막아버렸다.

예전에는 팬 미팅에서 벌어졌던 함대전 이벤트.

흥겨웠으니까 다음에도 하겠다고 운영진이 예고한 대로, 다시 이벤트로 진행하게 되었다.

저번에는 대전 형식이었지만, 대인전을 싫어하는 플레이어도 많기에 이번에는 적인 NPC 보스 배를 모두가 함께 쓰러뜨리는 형식이 되었다.

아무리 그래도 약체화한 포포리 호로는 손도 발도 내밀 수 없기에, 퀸 고양이공주 호에 신세지고 참가했다.

대량의 잡졸을 쓰러뜨리면서, 미래적인 디자인의 공중요새를 모두 함께 격파한다—는 건 좋지만, 적의 숫자라든가 보스의 강함이 무지막지한 설정이라서 정말 힘들었다.

◆루시안 : 헤이, 슬슬 포션이 다 떨어진다고!

◆고양이공주 어용상인 : 고양이공주 어용상인의 포션, 이쪽에서 판매 중~.

◆유윤 : 이 상황에서도 돈을 받는다고오?!

◆고양이공주 어용상인 : 그야 원가도 수수료도 필요하니까. 생산직을 얕보면 안 된다고.

◆루시안 : 돈을 받는 거야 상관없지만, 이거 평소보다 비싸지 않아?!

◆고양이공주 어용상인 : 그야 관광지 가격에 친구 가격이지.

젠장, 약삭빠르기는!

분해! 그래도 사버려!

◆아코 : 정말로 이제 무리에요~! 수리 재료도 부족해졌다고요~!

◆루시안 : 서버 전원이 도전하는 레이드 보스 비행선 같은 무지막지한 걸 만드니까 이런 일이!

◆슈바인 : 이 막무가내 전투는 싫지 않지만, 게임이 무거워서 뚝뚝 끊기잖아 젠장!

◆애플리코트 : 이 랙 상황, 너환 문제인지 서버 때문인지도 모르겠군.

◆세테 : 너환에 대한 번역 플리~즈!

◆루시안 : 너의 환경이 문제야, 의 줄임말! 자기만 랙이 걸린 건지, 서버의 과잉 부담으로 전원 랙이 걸린 건지 모른다는 거!

실제로 내 쪽도 게임 화면이 꽤 뚝뚝 끊긴다.

여기저기서 빛나는 이펙트에 대량의 몬스터. 그리고 무엇보다, 잔뜩 모인 배와 플레이어. 그야 무거워지긴 하겠지.

◆루시안 : 뭔가 도중에 조정을 포기한 것 같은 설정인데, 괜찮은 거냐. 운영진!

◆애플리코트 : 적의 공격으로 가라앉는 배도 많지만, 아직 수많은 군선이 참가하고 있다. 어떻게든 쓰러뜨릴 수 있다는 의미에서는 완벽한 조정이지!

◆아코 : 운영진은 그렇게까지 생각하지 않았다고 생각하는데요.

◆세테 : 진지한 얼굴로 무슨 소리를 하는 거야, 아코!

◆리미트 : 고양이공주 선장님! 적선에 고 에너지 반응!

키이잉, 하고 새된 SE가 화면 왼쪽에서 울렸다.

공중요새 중앙부에 빛이 모이면서 포신이 쭈욱 늘어나 이쪽을 향했다.

◆유윤 : AMS에서 빛이 역류한다……!

◆이가스 : 무슨 빛?!

◆†클라우드† : 주포의 빛이야!

◆애플리코트 : 적함, 주포 충전 개시! 적의 공격 범위에 들어와 있어!

◆고양이공주 : 포격 스톱! 전속력 이탈! 공격 범위에서 탈출하는 걸 최우선으로 하라냐!

◆†클라우드† : 아이 아이 맴! 전속력!

퀸 고양이공주 호는 충전을 시작한 적에게서 필사적으로 도망쳤다.

근처에서 싸우던 배도 속속 탈출을 시작했다.

◆애플리코트 : 적의 사선에서 도망치는 배가 많다! 부딪치겠어!

◆†클라우드† : 맡겨두라고!

대형선이라 가속 능력은 그리 좋지 않지만, 속도는 나름 괜찮다.

프로토 익시온의 주포에서 도망치려는 수많은 배를 피하면서, 사선 밖으로 퇴각하는 우리의 퀸 고양이공주 호.

◆애플리코트 : 음, 이대로 가면 범위에서 벗어날 수 있겠어.

◆슈바인 : 이봐. 갑판에서 보이는데, 바로 뒤에서 배가 오고 있어.

◆세테 : 아, 진짜네. 속도 차이가 있어서 이대로 가면 따라잡히겠어.

◆애플리코트 : 플레이어는 적이 아니다. 따라잡히더라도 문제는 없겠지.

바라보니, 확실히 바로 뒤에서 검은 배가 쭉쭉 따라오고 있었다.

이번에는 주변도 아군이고, 플레이어의 배를 신경 쓸 필요는 없지만—.

◆루시안 : 잠깐만. 저 배는 위험해!

◆슈바인 : 저 깃발을 봐!

익숙한 엠블럼이 새겨진 깃발이 휘날린다.

그리고 뱃머리에 우뚝 선, 익숙한 모습이 두 명.

채팅이 닿는 거리까지 다가왔을 때, 이런 문장이 화면에 표시되었다.

◆바츠 : 바보 제자, 그걸 하자!

◆미캉 : 네, 사부!

◆바츠 : 초급!

◆미캉 : 패왕!

◆바츠 : 선수(船首)탄! 호—우ㅋㅋㅋ

◆고양이공주 : 냐아아아아악?!

우와아아아, 뱃머리를 돌려서 돌진해오잖아!

게다가 저 녀석들, 선수에다가 공격용의 커다란 말뚝, 램파츠를 장비했어!

그거 보스 배하고 싸울 때는 절대 못 쓰잖아! 명백하게 동료를 떨어뜨리기 위해서 장착한 거잖아!

◆애플리코트 : 자세를 유지해라! 전복된다!

◆†클라우드† : 함의 균형, 유지할 수 없어!

얻어맞고 날아간 퀸 고양이공주 호가 비스듬하게 기울어졌다.

그리고 범인은 옆으로 나란히 달리면서 웃으며 말했다.

◆바츠 : 이크, 미안하구만. 부딪쳐버렸네.

◆미캉 : 실례실례.

사과할 생각이 조금도 없잖아!

두 사람 모두 활짝 웃고 있잖아!

◆유윤 : 면허 갖고 있는 거냐 짜샤아아아아아!!

◆코로우 : 피곤한 나머지, 불행하게도 검은색 대형선과 추돌하고 말았다.

◆바츠 : 배 주인, 고양이공주가 제시한 합의 조건은…….

◆유윤 : 퀸 고양이공주 호의 어디가 검은색인데! 어딜 봐도 핑크잖아!

◆루시안 : 부딪치기 전에 기술명 대놓고 외쳤고!

◆슈바인 : 초급 패왕 선수탄은 뭐냐고 이 자식아!

◆바츠 : 읽는 방식은 초급 패왕 램 어택이야.

◆클라우드 : 선수탄이라고 쓰고 램 어택이라고 읽지는 않아!

말하는 사이에도, 초급 패왕 선수탄에 맞아 선미에 큰 대미지를 입은 퀸 고양이공주 호는 점점 속도가 떨어졌다.

◆고양이공주 : 이대로 가면 프로토 익시온의 주포에 말려든다냐!

◆애플리코트 : 일격에 떨어지면 긴급 수리 요정으로도 고칠 수 없다! 도망쳐!

◆아코 : 이렇게 커다란 손상, 수리할 수 없어요!

◆루시안 : 이제 살아날 수 없어!

◆슈바인 : 끄아아아아아아아아아아!

은색의 빔에 감싸이자, 우리가 탄 퀸 고양이공주 호가 가라앉았다.

그러나 마도요새 프로토 익시온도 이게 한계였는지, 조금 뒤늦게 운해에 가라앉았다.

◆루시안 : 그래도 성공 보수는 얻었어.

◆아코 : 아, 아슬아슬했네요…….

◆애플리코트 : 용서할 수 없다, 이놈들! 이 원한, 갚지 않고 배길쏘냐!

◆바츠 : 저번 함대전의 빚은 갚았다고ㅋ

◆미캉 : 내일 또 봐요~.

◆슈슈 : 죄송합니다죄송합니다!

사과할 거면 처음부터 하지 말라고오오오오오!

††† ††† †††

◆루시안 : 직전에 격침 상태가 되었지만, 제1탄의 보수는 얻을 수는 거지?

◆아코 : 참가만 하면 받으니까, 클리어까지 노력하지 않아도 됐을 거라 생각해요.

◆슈바인 : 클리어할 수 있다면 하고 싶어지는 게 인지상정이잖아.

◆고양이공주 : 모두 함께 클리어하는 게 중요하다냐.

퀸 고양이공주 호는 장갑의 두께가 장점 중 하나. 클리어 판정이 나올 때까지 버텨주었다.

그래도 바츠 일행이 오지 않았다면 문제없이 클리어할 수 있었는데. 나 참.

◆세테 : 미캉도, 여동생도 그쪽에 있었네.

◆아코 : 어째서 배신한 건가요, 미캉…….

◆슈바인 : 의문을 가질 여지가 있었나?

◆루시안 : 그 녀석의 통상 운전이었지.

미캉은 결코 당하기만 한 채로 끝날 타입이 아니니까, 바츠가 권유했다면 두말하지 않고 덮치겠지. 아무런 위화감도 없다.

◆애플리코트 : 이벤트 맵에서는 대파되어도 자동 수복된다. 클리어 직전에 타이밍을 노려서 추돌하러 온 거겠지.

◆슈바인 : 변함없이 끼어드는 방식이 귀찮단 말이야.

농담으로 넘길 있는 아슬아슬한 라인에서 못된 짓을 하는 게 정말이지 바츠다웠다.

◆애플리코트 : 아무튼, 리턴 오브 레전더리 에이지, 첫 번째 퀘스트는 무사히 클리어. 순조로운 시작이구나.

마스터가 머리 위에 ○ 마크를 표시하며 말했다.

현재 개최 중인 이벤트— 아니, 이벤트 러시의 이름이 리턴 오브 레전더리 에이지다.

온라인 게임 이벤트는 기본적으로 한 번뿐. 놓쳐버리면 두 번 다시 할 수 없다.

그러나 신규 플레이어가 과거 이벤트를 즐길 수 없다거나, 보수를 받을 수 없는 등의 문제가 생기기도 한다.

그래서 이벤트 재개최가 이루어지는 경우도 종종 있다. 이른바 복각 이벤트다.

레전더리 에이지는 가급적 새로운 이벤트를 개최하는 형태로 진행하고 있지만, 한계가 온 건지 생각이 변했는지는 몰라도 마침내 대규모 복각 이벤트를 열게 된 거다.

2월 중에 과거 이벤트를 대량으로 재개최하는 복각 이벤트 러시.

그것이 리턴 오브 레전더리 에이지, 라고 한다.

◆루시안 : 2월 초부터 복각 이벤트가 산더미처럼 있으니까.

◆아코 : 첫 번째가 무사히 끝나서 다행이네요.

◆애플리코트 : 하지만 완주할 수 있을지는 아직도 불안하군.

벽에 기댄 마스터가 팔짱을 끼며 말했다.

◆애플리코트 : 2월은 무시무시하게 바빠지니까 말이지…….

◆세테 : 정말 예정이 가득해.

그렇다.

올해 2월, 현실에서는 예정이 꽉꽉 들어차서 힘들다. 악랄하다.

◆루시안 : 마스터의 수험, 빠른 건 이제 얼마 안 남았지.

◆애플리코트 : 음, 2월 중은 돌아서면 시험이다.

◆세테 : 응원회에 위로회, 축하회도 해야지!

뭐가 어찌 됐든, 우선은 마스터의 수험. 우리보다 앞서서 싸움에 도전하는 마스터를 배웅해줘야 한다. 그게 메인 이벤트라고 치고.

◆슈바인 : 2월 5일이 아코의 생일이잖아.

◆아코 : 밸런타인 준비도 해야 해요.

◆고양이공주 : 너희의 정기고사도 잊으면 안 된다냐. 학년말 시험은 굉장히 중요하다냐.

진짜로 현실 예정만으로도 간당간당할 만큼 굉장히 바쁘다.

그런데 복각 이벤트가 대량 개최.

한 번 해본 이벤트라도 해도, 무지막지하게 쌓여있는 셈이다.

◆애플리코트 : 이번 함대전 이벤트를 시작으로 레이드 보스, 주회 퀘스트, 방어 퀘스트에 돌아온 발렌티누스 등등…….

아직도 남아있군.

◆슈바인 : 복각 이벤트만 개최하면 불평할 것 같으니까 한 꺼번에 넣은 거 아냐?

◆루시안 : 힘을 뺀 건지 진심인 건지.

과거 이벤트의 재탕이라고 해도, 이렇게나 숫자가 많으면 큰일이다.

변함없이 이상한 부분에서 전력을 다하는 운영진이다.

◆아코 : 그래도 꼭 참가하지 않으면 안 되니까요.

◆루시안 : 보수가 엄청나니까.

게다가 각각 참가 보수가 있고, 굉장히 세다.

참가하기만 해도 굉장한 아이템을 받을 수 있으니까, 이쪽은 할 수밖에 없다.

특히 모든 이벤트에 참가했을 때의 보수가 어마어마하다.

◆슈바인 : 그야 그렇지. 완전 달성 이외의 선택지 같은 게 있을 리가 없잖아! 이벤트 완전 참가 보수, 마나 피드 이어링! 장비하기만 해도 습득 경험치가 두 배라고?! 무조건 필요하잖아!

◆세테 : 그런 걸 참가하기만 해도 받을 수 있는 건가…….

◆고양이공주 : 밸런스 붕괴는 필연적이까냐아.

솔직히 말해서 정말로 받을 수 있는지도 의심스럽다. 효과가 치트잖아.

그래도 그 정보가 발표된 순간 시장이 크게 움직일 정도였으니, 다들 뭔가 터무니없는 장비를 배포할 거라고 예상했던 것 같긴 하지만.

◆루시안 : 하향 수정된다면 그건 그것대로 개그 소재가 되니까, 나올 수밖에 없겠지.

◆세테 : 즐거운 한 달이 될 것 같네.

◆애플리코트 : 절대로 지루하지는 않겠지.

시험 관련 말고는 즐거운 이벤트뿐.

올해 2월은 바쁘지만 즐거운 한 달이 될 것 같다.

그렇게 느긋하게 있는 우리를 고양이공주 씨가 냉담하게 바라봤다.

◆고양이공주 : 정말로, 제대로 공부도 하는 건가냐?

◆아코 : 해요 해요.

◆루시안 : 할게요 할게요.

◆고양이공주 : 조금도 믿을 수가 없다냐…….

◆아코 : 그렇지 않아요! 보세요. 이게 거짓말을 하는 사람의 눈인가요?!

◆고양이공주 : 냐아………….

아코를 힐끔 보고, 고양이귀를 흔들고는.

◆고양이공주 : 슬그머니 웃으면서 대충 타자를 치고 있는 게 눈에 선하다냐.

◆아코 : 어째서 아시는 건가요! 도촬인가요, 에스퍼인가요, 아니면 슈퍼 해커인가요?!

아니, 그건 나도 눈에 선하거든?

◆애플리코트 : 하하하, 공부도 적당히 애쓰도록.

◆슈바인 : 웃고 있는 본인이야말로 제일 공부해야 하잖아…….

슈가 어이없는 표정으로 검을 겨눴다.

◆슈바인 : 잠깐 숨 돌리기 위해서라면 괜찮지만, 이벤트 클리어까지 할 상황이야? 공부하러 돌아가지 않아도 괜찮아?

◆루시안 : ……듣고 보니, 왜 당연한 듯이 여기 있는 거야? 마스터.

◆세테 : 그러게. 분명 다른 수험생은 성실하게 노력하고 있을 텐데?

◆고양이공주 : 냐아. 수험생은 공부하는 게 무조건 좋다냐.

모두가 빤히 응시하니 아무래도 좀 거북해졌는지, 마스터는 뒤를 보면서 변명하듯이 말했다.

◆애플리코트 : 기다려라. 이런 시기까지 온 이상, 새삼스레 복습할 것도 별로 없단 말이다. 오히려 어느 정도 숨을 돌리는 편이 실력을 낼 수 있다고 생각하지 않나?

◆슈바인 : 됐으니까 돌아가. 직전에 봤던 데서 문제가 나오기도 한다고.

◆애플리코트 : 으음. 어쩔 수 없지.

여기서 불만스러워하는 저 자신감이 굉장하다. 나조차도 시험 직전에 온라인 게임을 하면 마음이 진정이 안 되는데.

진정이 안 될 뿐이지, 게임은 하지만.

◆아코 : 그래도 마스터, 로그아웃해도 다른 캐릭터로 할 것 같네요.

◆세테 : 아~, 그거 엄청 이~해~돼~!

◆슈바인 : 로그인한 채로 공부하는 게 좋을지도 모르겠네.

◆애플리코트 : 모두 나를 조금도 믿지 않는구나!

마스터는 「나 참……」 그렇게 말하면서 모임장 의자에 앉았다.

온라인 표시가 AFK[#1]로 전환됐다.

◆슈바인 : 이거야 원.

◆세테 : 우리의 기말고사는 아직 3주일 정도 남았지만, 선배의 시험은 이제 얼마 안 남았지?

◆고양이공주 : 다음 주에는 시작될 거다냐.

◆슈바인 : 잘도 게임을 할 여유가 있네…….

◆세테 : 그러게. 나라면 수험 전에는 계속 책상이나 도장에 있을 것 같아.

세테 씨는 고개를 끄덕였다.

저기, 지금 발언에 하나 의문점이 있는데요.

◆루시안 : ……어째서 도장에?

◆세테 : 춤 시험 같은 게 있으니까!

◆루시안 : 웬 춤?! 무슨 시험인데?!

#1 AFK Away From Keyboard의 줄임말. 사용자가 잠시 자리를 비웠다는 뜻의 채팅용어이다.

◆고양이공주 : 추천으로 정해지면 좋겠는데 말이다냐.

◆세테 : 조금 자신 없을지도~.

◆루시안 : 게다가 추천으로 춤추는구나…….

같은 수험이라도 내가 모르는 세계가 있는 모양이다.

◆슈바인 : ……슬슬 때가 됐나.

잠시 이야기를 나눈 뒤, 문득 슈바인이 말했다.

◆슈바인 : 마스터~? 제대로 공부하고 있어?

그 채팅이 나오자, 조금의 지연 없이.

◆애플리코트 : 물론 하고 있다!

◆슈바인 : 화면 보고 있지 말라고! 안 하고 있잖아!

◆애플리코트 : 큭, 함정인가! 알았다. 화면을 보는 건 5분에 한 번으로 하지.

◆세테 : 그래도 5분에 한 번은 보는구나…….

채팅을 치는 건 즐겁지만, 나도 놀고 있을 때가 아니라는 기분이 든단 말이지.

수험은 아직 나중의 일이지만, 눈앞의 기말고사도 자신이 없으니까.

그리고 무엇보다 아코에게 지고 싶지 않다. 이번에는 어떻게든 전 과목에서 이기고 싶다. 딱히 우위에 서고 싶은 게 아니라, 단순히 분하니까.

◆루시안 : 으음. 나도 조금은 공부할까. 먼저 끌게.

그렇게 채팅을 쳤다. 공부한다고 정한 건 아니지만, 모두에게 말하면 정말로 할 수밖에 없으니까, 결의 표명과 동시에 퇴로를 끊는 거다.

역시 공부는 그만두고 로그인하자는 생각이 들더라도, 이러면 도망칠 수 없다. 유용하지?

아무튼, 너무 유용해서 약간 후회가 된다. 공부하고 싶지 않아~.

◆슈바인 : 어라. 성실하네. 수고해~.

◆세테 : 좋아! 힘내~!

◆고양이공주 : 장하다냐! 노력은 분명 보답받는다냐!

그래. 이렇게 칭찬받으면 더더욱 도망칠 수 없게 된다고.

말한 이상 제대로 할까. 그렇게 끄려고 할 때.

◆아코 : 아, 루시안 먼저 끄려는 건가요. 다행이네요.

◆루시안 : ……다행이다?

아코가 그렇게 말하는 게 굉장히 의외였다.

평소 아코는 내가 먼저 끄려고 하면 싫어해서 보챌 정도지, 기뻐하는 타입은 아닐 텐데.

내가 끄는 게 다행이라니. 무슨 뜻이지?

◆루시안 : 혹시 아코여, 내가 없는 게 기쁘다고 하는 것인가?

◆아코 : 아, 아니거든요! 잠깐 사정이 있어서! 대단한 건 아니니까 다녀오세요!

◆루시안 : 다녀오세요, 라고 하는 것도 이상한데. 굳이 따지자면 돌아가는 거라고.

뭐, 아코에게도 혼자만의 시간은 중요하겠지. 나도 아코가 없으면 다른 길드 모임장에 얼굴 내밀 때가 있으니까.

그런 식으로 혼자 납득하고.

◆루시안 : 그럼 내일 또 보자.

루시안에서 로그아웃했다.

이후에는 클라이언트를 끄고…… 아, 잠깐만.

이번 달은 바빠질 테니까 먼저 창고를 정리해둘까.

"예비 장비는 피로시키……였지."

창고 캐릭터로 다루는 피로시키로 다시 로그인해서 창고 NPC로 향했다.

전투 이벤트도 많으니, 특화 장비를 창고에 돌려놔야지.

"아~, 하우징 계열 이벤트도 있을 테니까, 재료는 창고에 넣어둘까."

하우징 콘테스트 공지가 있었으니까, 평소에는 쓰지 않는 소재 아이템도 쓸지도 모른다. 그쪽도 창고에 다시 넣고…….

◆아코 : 루시안이 없으니까 잠깐 할 말이 있는데. 괜찮나요?

"……뭐?"

그런 채팅이 화면에 표시되었다.

순간 아코가 내게 직접 이야기를 한 줄 알았다. 누군가에게 보낸 채팅의 오폭이라고.

그러나 아니었다. 이건 길드 채팅이다.

창고 캐릭터도 일단 앨리 캣츠에 들어가 있지만, 길드 내부의 역할이 창고 캐릭터다.

낮은 계급은 로그인 통지가 오지 않게 해놨으니까, 다른 캐릭터도 바꾼 걸 눈치채지 못한 모양이다.

◆슈바인 : 새삼스럽게 뭔데?

◆세테 : 무슨 일이야?

◆아코 : 혹시 괜찮으면, 중요한 상담을 들어주셨으면 해요.

응? 중요한 상담?

저 아코가, 내가 없어야지만 가능한 중요한 상담을?

◆슈바인 : 네가 중요한 상담이라니…….

◆아코 : 실은 루시안 일인데요.

◆고양이공주 : 그럴 줄 알았다냐.

게다가 내 이야기냐!

그런 상담거리가 있으니까, 내가 꺼서 다행이라고 말한 거냐!

일부러 나를 빼놓고 하는 상담이라니, 직접 말하기는 힘든 건가?

말하기 힘든 것…… 설마 헤어진다든가 그런…….

"서, 설마, 그런……."

◆아코 : 그게, 말이죠.

◆슈바인 : 뭐든 좋으니까 말해봐.

◆세테 : 그래그래, 둘도 없는 친구잖아!

◆아코 : 그럼…… 저, 실은…….

엿듣는다는 죄책감은 들었지만, 눈을 부릅뜨고 채팅을 바라봤다.

거기에 날아든 글자는, 이랬다.

◆아코 : 루시안에게, 현실에서 프러포즈를 하고 싶어요!

…………

"…………뭣이라고?"

저도 모르게 실제로 말이 나왔다.

무, 무슨 말씀을 하시는 거죠? 아코 씨?

현실에서, 프러포즈, 를, 하고 싶다?

받고 싶은 게 아니라, 하고 싶다?

◆슈바인 : …….

◆세테 : …………

◆고양이공주 : ……냐, 냐아.

세 사람은 곤혹스럽다는 채팅을 쳤다.

거기서 추가타라는 듯이.

◆아코 : 루시안에게, 현실에서 프러포즈를 하고 싶어요!

◆아코 : 루시안에게, 현실에서 프러포즈를 하고 싶어요!

◆아코 : 루시안에게, 현실에서 프러포즈를 하고 싶어요! 루시안에게, 현실에서 프러포즈를 하고 싶어요! 루시안에게, 현실에서 프러포즈를 하고 싶어요!

◆세테 : 몇 번이나 말하지 않아도 알아들었어!

◆슈바인 : 복붙은 그만둬. 반복할게. 복붙은 그만둬.

슈는 채팅으로도 알 수 있는 로우텐션으로 말했다.

◆슈바인 : 아~, 또 귀찮겠다는 예감이 들어.

◆고양이공주 : 예감이라기보다는, 이 시점에서 이미 귀찮다냐.

◆세테 : 아코의 상담인데 그렇게까지 말하는 건 불쌍하지 않아?! 조금 귀찮긴 하지만!

전원이 귀찮다는 리액션이다. 왠지 제일 깜짝 놀란 건 내가 아닐까 싶은 기분이 들었다.

아니, 당사자니까 당연한가!

현실에서 나한테 프러포즈를 하고 싶다니. 대체 뭔데?! 아직 상황을 받아들이지 못하고 있거든?!

◆세테 : 일단 가장 큰 의문점을 물어볼게.

처음으로 마음을 다잡은 세테 씨가 물었다.

◆세테 : 아코에게 현실과 게임은 똑같지 않았어? 생각을 바꿨다든가?

그래, 그거다!

채팅으로 감사의 말을 전하고 싶은 질문, 감사합니다!

아코가 생각을 바꿨다면 정말로 기쁘긴 한데 말이지.

◆아코 : 아뇨아뇨. 그렇지는 않아요!

—그런 나의 희망을 일격에 분쇄하고.

◆아코 : 현실과 게임은 아무런 차이가 없고, 오히려 게임이 진정한 세계일 정도예요. 그러니까 게임에서 결혼했으면 현실에서도 결혼한 거나 다름없어요. 똑같긴 하지만요.

◆세테 : 하지만?

◆아코 : 지금까지도 루시안에게 들은 건데요. 게임 특유의 룰이라든가 매너가 있듯이, 현실에도 독자적인 룰이 있단 말이죠. 그래서 저기, 현실에서 다시금 결혼하는 순서를 밟는 것도 무의미한 건 아니라고 생각하는 것도 싫지만은 않다고 보게 된 거예요.

◆세테 : 엄청나게 말을 빠르게 하는 것 같네…….

◆고양이공주 : (오타쿠 특유의 빠른 말) (순속)

◆슈바인 : (자칭 신부 선언 힐러) (코너에서 차이를 벌려라)

아코는 일찍이 없었던 속도로 타자를 쳤다.

너, 그런 스피드로 채팅을 칠 수 있었던 거냐.

◆세테 : 그건 요컨대 신념이 바뀐 게 아닐까?

◆아코 : 신념이 바뀐 게 아니에요. 고도의 정치적인 판단이에요. 루시안을 위해, 다소 사회와 관계를 다져야겠다는 기분이 들었어요. 제가 생각해도 배려심 있는 신부네요!

정말로 배려심 있는 신부는 그런 묘한 궤변을 쓰지 않고 평범하게 교제할 거야.

◆슈바인 : 뭐, 네 주장은 알겠는데.

슈는 화면 너머로도 눈살을 찌푸리는 걸 알 수 있는 어조로 말했다.

◆슈바인 : 아코. 네가 길게 말을 늘어놓을 때는 알맹이의 5할이 거짓말이잖아. 고도의 정치적인 판단이니 뭐니 분명

의미도 모르고 있을 거고. 본심은 어떤데?

슈가 호되게 따지자, 아코가 대답했다.

◆아코 : ……사실을 말하면 말이죠.

몇 초 시간을 둔 뒤, 이렇게 말했다.

◆아코 : 현실에서도 결혼하고 싶어요.

—그것뿐? 어, 그것뿐이야?

내 의문은 그대로 채팅으로도 나왔다.

◆슈바인 : 그냥, 하고 싶을 뿐이야……?

◆아코 : 하고 싶어요.

◆세테 : 하, 하고 싶은 거구나. 결혼.

◆아코 : 굉장히 하고 싶어요.

아니, 잠깐. 뭐야 이거, 무지 부끄러운데!

전부터 말하기는 했거든? 줄곧 함께 있을 수 있으면 좋겠다. 장래에는 제대로 결혼하면 좋겠다. 그런 말을 했었어!

하지만 그건, 할 수 있다면, 가능하다면, 이루어진다면, 그런 자신감이 결핍된 희망 사항이었다고!

아코에게 구체적으로 프러포즈다, 결혼이다, 같은 말을 듣는 거…… 왠지 굉장히 부끄러워!

◆세테 : 그래도, 왜 지금 당장인데?

◆슈바인 : 맞아. 이대로 평범하게 사귀면 결혼하잖아.

◆고양이공주 : 그렇다냐. 학생 결혼은 여러모로 힘들다냐.

아니, 난 대체 언제까지 보고 있을 거냐고.

황급히 로그아웃, 클라이언트를 종료하고 그대로 컴퓨터 전원도 껐다.

너무나 엄청난 내용이라 무심코 들어버렸지만, 완전히 엿듣기였다.

미안, 나에게 프러포즈를 하는 계획을 들어버렸어. 언젠가 사과해야지.

"……나, 아코에게 프러포즈 받는 거야? 또?"

게다가, 이번에는 현실에서?

아니, 설마. 하고 싶다고 말했을 뿐이지, 한다고 정하지는 않았으니까.

게다가 바로 프러포즈한다는 이야기는 아니었잖아.

2월은 바쁘니까. 다음 달이라든가?

뭣하면 다음 학년이 되고 나서라든가. 빠르면 그 정도겠지.

"하하하하하. 설마~, 바로 할 리는 없겠지~."

설마 내일 느닷없이 프러포즈한다든가, 그런 일은 없……겠지?

■2월 2일 토요일

정말로 새삼스러운 이야기지만, 우리 마에가사키 고등학교는 은근히 시간 분배가 유연하다.

특히 토요일은 시기에 따라서는 휴일이기도 하고, 수업을 하기도 하는 등 안정적이지 않다. 2학년이 되고 나서는 수업일이 늘어났다는 느낌.

이번에도 그런 일정이라, 토요일이지만 평범하게 수업이 있다.

그래도 이렇게나 학교에 가고 싶지 않은 날은 오랜만이다.

어떤 표정으로 아코를 만나야 할까. 얼굴을 마주한 순간 「미안, 듣고 말았어!」라고 사과해야 하나.

설마 오늘 프러포즈를 한다거나 하는 일은 없을 테니까, 빨리 멈추게 하는 편이…….

그런 나의 예상은, 교실에 들어온 순간 배신당했다.

"조조조조좋은 아침이에요 루시안! 이런 곳에서 만나다니 우연이네요!"

"우린 같은 반이고, 교실에서 만난 건데 우연일 요소가 있나……."

아, 이거 오늘이 실전인 패턴이다.

아코가 이렇게나 당황하고 있는 이상, 중요한 이벤트가 있는 게 분명하다.

그렇겠지. 확실히 상담했다는 건 이미 움직일 때라는 거겠지. 그녀의 마음은 이미 정해져 있었던 거다.

"완전히 따스해졌네요. 땀이 흐르고 있어요."

"응. 식은땀이 굉장한 건 한눈에 봐도 알겠지만, 사실 엄

청 춥거든?"

나도 고백하기 전에는 이런 느낌이었을까. 그랬겠지?

아무리 그래도 아침부터 프러포즈를 받지는 않았고, 그대로 아무 일 없이 하루를 보냈다.

그리고 방과 후, 부 활동 시간.

"아, 배포템 왔어! 이예~이! 고대 마도 글라이더 겟!"

"역시 고대와 마도는 굉장한거얼."

"예고 그대로의 스펙일 줄이야…… 이건 마지막까지 이벤트를 할 수밖에 없겠군."

세가와, 아키야마, 그리고 마스터가 배포된 이벤트 보수를 보며 기뻐했다.

"…………."

"……."

나와 아코는 그런 세 사람을 말없이 보고 있었다.

수수께끼의 긴장감이 감돌아서 아침부터 전혀 진정이 안 됩니다.

"이거 장난 아니야. 지금까지의 글라이더와 비교하면 두 배의 거리를 날 수 있잖아."

"이제 배는 필요 없지 않을까?"

"상승기류가 있는 곳을 기억하면 배 없이도 하늘을 이동할 수 있을지도 모르겠네. 잠깐 날아보자!"

“이 시기에 떨어질지도 모르는 도전은 좀 그렇지 않아?!”

아키야마가 미안한 듯이 마스터에게 시선을 보냈지만.

“반대로 생각하는 거다, 세테! 떨어지지 않고 계속 날 수 있다면 수험도 합격할 거라고!”

“계속 날 수 없을 때는?”

“비참하게 떨어진다!”

“이런 거에 등락을 걸고 도박을 하면 안 돼!”

“……애초에, 여기 있는 건, 어째서?”

지금까지 침묵하던 후타바가 냉담한 눈으로 말했다.

“시험 직전 아닌가요?”

후배가 감정이 담기지 않은 목소리로 묻자, 마스터는 명랑하게 말했다.

“하하하. 숨 돌리기도 필요한 거다.”

“이러니까 엘리트는…….”

편차치의 화력이 낮은 미캉에게는 이해할 수 없는 존재인 건가.

“자, 실험하러 가자!”

모두가 의기양양하게 퀘스트 클리어로 개방된 부유대륙으로 워프하러 갔다.

여전히 당혹스러워하는 아코와, 어떻게 해야 좋을지 몰라서 침묵하고 있는 내가 단둘이 모임장에 남았다.

그 순간, 아코가 고개를 홱 들었다.

"헉! 단둘이네요, 루시안!"

"이건 단둘이 된 게 아니라 버려졌다고 말하는 거야."

오호라 이 녀석, 모두의 이야기를 안 듣고 있었겠다?

"……어라? 잠깐 기다리렴."

자기 책상에서 업무를 하던 선생님이 고개를 들었다.

"저기, 고쇼인. 무척 여유로워 보이는데……."

"음, 안 됐습니까? 제 교실에서는 조금 더 긴장감을 내고 있습니다만, 부실에서는 어느 정도 숨을 돌리는 게 좋다고 생각하고 있었는데요."

"그게 아니야. 내가 학생 시절일 때보다 훨씬 성적이 좋은 아이한테 시끄럽게 굴 만큼 선생님은 굉장한 어른이 아니거든."

하지만, 하고 말을 이었다.

"그러니까 고쇼인에게 엄한 말을 할 필요는 없다고 생각해서 마음대로 하게 두고 있었지만……."

모니터를 사이에 두고 마스터를 빤히 바라보던 선생님이, 어딘가 무섭게 물었다.

"고쇼인이 봐야 하는 첫 입학시험은…… 언제였더라……?"

"걱정하시지 않아도, 시험일은 기억하고 있고말고요."

마스터는 자신만만하게 끄덕이며 말했다.

"내일이 첫 입학시험입니다."

내일? 투모로우?!

다음 주나 다다음 주가 아니라, 내일?!

"어째서 그렇게 여유로운데?!"
"시험 전날에 온라인 게임을 할 때야?!"
"앞으로 24시간도 안 남았는데?!"
"우, 우와~."
아무리 우리라도 솔직히 당황했다.
"문제없다. 진짜 노리던 곳도 아니고, 연습할 겸 일단 쳐보는 정도야."
"그래도 실전이잖아! 연습이라고 해도 모의시험이 아니라고!"
그리고 완전히 굳어버린 고양이공주 씨가 재기동과 동시에 일어났다.
"돌아가라냐아아아! 고쇼인이 파티를 짜야 하는 상대는 우리가 아니다냐! 노트, 교과서, 참고서, 단어장, 문제집, 기출문제, 시험 입문서다냐!"
"8인 파티입니다만……."
뭐가 어떤 롤을 담당하는 걸까. 탱커는 역시 안정감이 있는 교과서인가?
"자, 돌아가라냐! 지금 당장 돌아가라냐! 그냥 전원 돌아가서 공부하라냐!"
"우리도 말려들었어?!"
"우리는 상관없지 않나요?!"
"다들 기말고사가 있다냐! 토요일 정도는 빨리 돌아가서 공부하라냐!"

선생님은 책상을 찰싹찰싹 두드리며 말했다.

뭐지? 불합리하지만, 어째서인지 조금은 납득하는 내가 있었다.

수험 전날에 온라인 게임을 하는 사람을 보니까, 나도 공부를 좀 할까 싶은 기분이 든단 말이지.

"나는 마스터가 아니라서 여유가 없으니까, 조금 공부할까."

"으~음. 우리가 남으면 쿄우 선배도 돌아가기 힘들겠지."

"어쩔 수 없네."

"돌아가도 어차피, 공부하지는 않는데요."

"하~는~거~다~냐~!"

우리가 컴퓨터를 끄고 전원을 내리는 소리가 들리기 시작할 무렵.

"어, 버, 벌써 부 활동 끝인가요?"

겨우 상황을 파악했는지 움직이기 시작한 아코가 눈을 동그랗게 떴다.

"오늘은 어쩔 수 없으니까 빨리 돌아가자."

"그, 그럴 수가. 예정보다 한 시간 이상 빠르잖아요?! 예정이 계획이 마음의 준비가가가가가가—."

아코가 버그 걸렸어!

예정이라니 뭔데! 아니, 미안. 솔직히 알고는 있지만!

"왜, 왜 그래? 아코. 괜찮아?"

"아~, 니시무라는 신경 쓰지 마."

세가와는 미안한 듯한, 안타까운 듯한, 뭐라 말 못 할 표정으로 아코를 쓰다듬었다.

"진정해, 아코. 네가 하는 일은 아무것도 변하지 않고, 결과도 변하지 않으니까."

"그래그래. 열심히 해."

"아우아우아우."

"…………."

미래를 아는 게 반드시 행복한 건 아니라는 걸, 이런 데서 알고 싶지는 않았어…….

그렇다고 해서 혼자 돌아간다고는 말할 수 없다.

무엇보다 엿들었던 걸 사과해야만 한다.

언제나처럼 아코와 둘이서 귀로를 밟았다.

"스읍, 하아. 스읍, 하아."

"진정됐어?"

"죄송해요. 조금 혼란에 빠졌네요."

다소 냉정을 되찾았는지, 아코는 붕붕 고개를 내저었다.

그리고는, 문득 떠오른 말을 했다.

"아, 히히후~, 이렇게 진정하는 게 낫나요?"

"당황할 때까지 개그를 원하지는 않거든."

애초에 라마즈 호흡법은 개그로 끝날 인간과 그렇지 않은 인간이 있다고.

아코가 교실에서 라마즈 호흡법을 시작한다면, 「이 녀석, 저질렀구만」라는 시선이 내게 쏠릴 게 분명하다.

"뭐, 뭐어, 어째서 당황했는지는 물어보지 말라고 한다면 안 묻겠는데."

"이제 곧 알게 될 테니까 괜찮아요!"

"이제 곧 알고 싶지 않은데."

프러포즈의 예감(확정)이 점점 농후해진다는 기분이 든다.

단지, 어떻게 돌아가든 이런 딱딱한 분위기로는 시작할 수 없으니까.

"으, 으으음. 2월은 이벤트가 많은데, 예정 괜찮아? 아무리 해도 로그인할 수 없는 날이 있으면 대신해줄 수 있는데."

"그건 괜찮아요! 이벤트 날은 최우선으로 예정을 넣어놨으니까요!"

"최우선은 현실에 두는 게 어때?"

우선 사항 정도로만 해두자고?

"애초에 현실에서 권유받은 적은 거의 없으니까요!"

"지금에 와서는 오히려 나한테 꽂히는 말인데!"

세가와나 아키야마에게 한꺼번에 권유받은 아코와 달리, 나는 진짜로 권유를 못 받았으니까!

"왠지 말이지. 지금쯤 남자들은 공부 모임을 한다던데, 나는 권유를 못 받았다고!"

"저기, 루시안? 공부 모임에 가고 싶었나요?"

"가고 싶지는 않았지만, 권유받지 못한 건 슬퍼."

"크윽, 이해해요."

공부는 하고 싶지 않고, 반 남자들끼리 모인다는 분위기도 별로 익숙하지는 않다.

그렇지만 처음부터 따돌림을 받는 것도 가슴이 아픕니다.

"아, 현대통신전자 유희부는 공부 모임 예정이 이미 들어있으니까, 잊지 말라고."

"공부 모임은 싫어요오오오오오."

싫어도 도망칠 수 없는 건 도망칠 수 없는 거다.

"생각하고 싶지는 않지만, 수험도 멀지 않으니까…… 어딘가에서 포기하자고……."

"저는 마스터처럼 숨 돌리기를 할 여유도 없어지는 거네요……."

"그건 마스터가 굉장한 거야."

시험 전날에 논다니 대체 무슨 상태인 거야.

자신감인 걸까, 고의적인 선택인 걸까. 아니면 우리에게는 여유로운 모습을 보여주고 있을 뿐이고, 뒤에서 죽을 만큼 노력하고 있는 걸까.

"……그래도 말이지. 냉정하게 생각해보면, 우리도 시험 전날에는 모임장에 집합하는 미래밖에 보이지 않아."

시험 전날, 모임장에 모여서 「우와~, 내일 실전이네. 절대 무리야~」 같은 소리나 하겠지.

"물론이죠! 오히려 모이지 않으면 불안하잖아요!"

아코는 고개를 강하게 끄덕였다.

"전날에 제대로 상담하지 않으면, 저만 당일에 로그인해서 『내일은 시험이네요~』 같은 말을 하게 될 거예요!"

"무시무시한 미래 예상 그림은 그만둬."

우와~, 엄청 현실적으로 상상이 되잖아.

◆아코 : 드디어 내일이 입학시험 실전이네요!

◆아코 : 굉장히 두근두근해요…….

◆아코 : 길드 여러분, 오늘 정도는 공부는 쉬고 내일을 대비하자고요?

◆루시안 : 오늘하고 내일이거든.

◆세테 : 내년이야말로 힘내.

◆슈바인 : 시즌 개막부터 이런 일이 벌어지다니.

정말이지, 너무 있을 법해서 무섭다.

"전날은 모두 모여서 합숙할까? 한 명이라도 지각하거나 미아가 된다거나, 여러 위험이 있을 테니까."

"잘 부탁합니다!"

아코는 고개를 꾸벅 숙였다.

"그러면 지각해서 떨어질 때는 함께네요!"

"그만둬!"

그건 기믹을 모르는 사람한테 빨려 들어가서 전원이 죽는 패턴! 전원이 준비하고 이해하는 게 퀘스트 클리어의 지름

길이니까!

"아, 루시안 루시안."

이야기 도중, 아코가 손을 당기며 말했다.

"잠깐 공원에 들렀다 가지 않을래요?"

"그곳인가…… 응, 알았어."

이야기하는 사이에 그렇게 걸어왔나.

내게는 씁쓸한 추억이 있는, 그 공원이 바로 근처에 있었다.

아코에게 고백했을 때는 여름이었던 이 공원.

설경이라면 그나마 보기 좋았겠지만, 지금은 그저 나뭇잎이 떨어진 나무가 늘어서 있을 뿐이라 어딘가 쓸쓸한 분위기가 감돈다.

오, 내가 차였던 벤치다. 역시 아직 잊지 않고 있네.

"저기 기억해? 내가 아코에게 고백했다가 옥쇄한 벤치."

발을 멈추고 말하자 아코는 붕붕 고개를 내저었다.

"옥쇄하게 했다는 생각은 전혀 없는데요!"

"『절대로 싫어요』라고 말했잖아."

그때는 진짜로 죽는 줄 알았다니까.

세가와와 마스터의 커버가 없었다면 나는 틀어박혔을지도 모른다.

"그래도 그래도, 그건 루시안의 말에도 문제가 있었다고 생각해요! 연인이 되어달라고 하면, 『절대로 싫어요!』라고 말하게 되잖아요!"

"원래의 관계가 언어화하기 힘든 무언가였으니까, 그렇게 말할 수밖에 없었잖아."

좋아한다고 말해도, 「저도 그래요」라는 대답밖에 상상할 수 없었고.

"지금은 제대로 연인이 되었으니까 상관없지만."

"안 됐어요. 부부라고요."

역시 이쪽 평행선은 언제까지고 해소되지 않는단 말이지.

서로 살짝 웃은 뒤, 아코는 벤치를 살며시 만지더니 조금 음색을 낮추며 말했다.

"그래도, 싫다고 말했던 건…… 조금 미안하다고 생각해요."

그렇게 중얼거리고는.

"잘 생각해보니까, 루시안이 무슨 말을 하고 싶었는지는 알게 됐지만요. 여유가 없어서…… 루시안에게도 부부라는 걸 이해해줬으면 한다고 조바심을 냈을지도 몰라요."

"나도 조바심을 냈었으니까. 이쪽이야말로 사과해야지."

여름방학 전에 여친을 갖고 싶다고 조바심을 내서 한 고백이었으니까.

내가 봐도 좀 어떤가 싶다.

"지금이야 우스갯소리지만, 그대로 헤어졌다면 웃지 못할 추억이었겠지."

"무슨 일이 생겨도 같이 있었으니까, 모든 게 멋진 추억이 되었네요."

아코는 아까 말과는 돌변해서 밝게 웃었다.

……어라? 정신이 들자, 왠지 분위기가 좋아진 기분이.

"생각하는 게 다르더라도, 확실히 서로 사랑하는 마음은 같다고 느낄 수 있으니까요……."

나를 응시하는 아코의 뺨이 평소보다 더 붉어진 게 보인다.

"그러니까 루시안. 앞으로도, 언제나 언제나 함께—."

떨리는 손을 내게 내밀면서, 이 손을 잡아달라고 갈구하듯이 말했다.

"루시안. 저와, 이 세계에서도— 현실에서도, 결혼해주세요!"

"…………."

용기를 쥐어짜며 말했다는 것이, 말만으로도 전해진다.

그 표정은 긴장감과 기대감으로 찢어질 듯한— 어라?

아니, 왠지 아주 약간 여유가 있어 보이는, 연기 같은 기색이, 나는데?

그래서 그런 건 아니지만.

마치 게임 속에서 프러포즈를 받았을 때처럼, 나는 단호하게 말했다.

"싫 어 요."

"어째서인가요오오오오오오!"

앞으로 내밀었던 손을 풀썩 내린 아코가 그 자리에서 쪼그려 앉았다.

저, 저기, 미안. 정말 미안해!

그래도, 싫은 건 싫은 거니까!

허둥대는 내 앞에서, 아코가 벌떡 일어났다.

"으으으, 지금의 흐름으로는 안 됐나요?! 오케이를 받을 분위기가 되었다고 생각했는데요!"

"그런 분위기가 있겠냐!"

"그치만 좋은 분위기였잖아요! 그게, 전에 여기서 이야기를 했었잖아요! 단둘이 있으면 언제나 좋은 분위기가 된다고!"

"프러포즈는 분위기 따라 OK를 하는 게 아니잖아! 아니, 그런 부분이 있을지도 모르지만, 그것에 떠밀리기에는 문제가 너무 많아!"

"어째서 안 되는 건가요?! 호감도가 아직 부족하나요?!"

"내 호감도를 얼마나 올릴 셈이야! 이제 충분해!"

"그럼 어째서인가요! 어째서 안 되는 건가요!"

"어째서냐니…… 이유를 전부 거론하면 굉장히 시간이 걸릴 것 같은데……."

말하기 쉬운 것부터 말하자면.

"기본적으로 나이가 무리. 난 아직 17세야."

"이제 곧 18세잖아요. 그 타이밍에 혼인신고를 해요!"

"타임 어택이 아니라고! 최단으로 가려고 하지 마!"

"이게 제일 빠르다고 생각해요!"

그만둬!

점점 뜨거워지는 아코의 어깨에 손을 올려서 워워, 하고 진정시켰다.

"고등학생 부부는 역시 좀 그렇잖아. 응? 재학 중에 성이 달라진다고?"

"가정환경 때문에 성이 달라지는 건 자주 있는 이야기잖아요!"

"본인의 결혼으로 달라지는 적은 거의 없어!"

그렇게 가볍게 자주 있다고 말하면 안 됩니다! 큰 문제라고요!

"아무튼 안 돼. 고등학생 결혼은 내 안의 룰이 용납하지 않으니까 안 돼."

"우우!"

아코는 불만스럽게 우우—, 하고 신음하더니 내 얼굴을 들여다보며 말했다.

"그보다 루시안. 왠지 굉장히 냉정하네요!"

"윽."

"루시안이 놀랄만한 말을 한 거였는데, 굉장히 냉정하게 대답해서 제가 더 놀라버렸어요."

그 이유는, 저기, 사전에 알고 있었으니까, 말이죠.

"……미안. 어제 모두에게 상담하는 길챗, 봐버렸어!"

"에에에에엑?! 그때 끄지 않았던 건가요?!"

"창고용 캐릭터에 들어갔다가…… 길챗이 나오는 걸 보고 말아서…….”

“그럼 저, 예고 프러포즈를 한 건가요?! 그래서 거절당한 건가요?!”

“정말로 미안하다고 생각해. 아니, 농담이 아니라 진짜 미안. 동요해서 말하지 못한 채 꺼버리고 말아서 면목이 없어.”

“으으으, 여기서는 깜짝 놀라게 한 사이에 밀어붙이려는 작전이었는데…… 어쩔 수 없죠…….”

아코는 분한 듯이 손바닥을 보며 중얼중얼 말했다.

“……작전?”

그야 아무 대책 없이 프러포즈 같은 걸 하지는 않았겠지만, 뭔가 순간 묘한 말투를 쓰지 않았나?

그런 생각을 할 새도 없이 아코가 홱 고개를 들었다.

“그래도, 네. 괜찮아요. 슬프긴 하지만, 거절당할 줄은 알았으니까요!”

“알고 있었다고?!”

“아내인 제가 루시안의 반응을 예상하지 못할 리가 없잖아요~.”

“그런데도 프러포즈를 하는 담력이 굉장하네, 아코…….”

확실히 프러포즈 단계부터 조금 여유가 있어 보였고, 거절당한 뒤에도 기운차구나 싶었지만.

“근데, 왜 지금이야? 이 바쁜 2월에 이벤트를 더 추가하지 않아도 되잖아.”

"바쁜 시기라면, 왠지 모르게 흐름에 휩쓸려서 오케이를 받을 수 있지 않을까 싶어서요!"

"안 해!"

아무리 바빠도 대충 처리할 수 있는 이야기가 아니잖아!

이 반응…… 정말로 신경 쓰지 않는구나, 아코. 정말로 예상했던 것 같다.

거절해서 미안하게 생각하고 있었는데, 죄책감이 없어지고 있다고.

"그래도 조금, 일단 확인을 하고 싶은데요."

아코가 갑자기 불안한 듯 말했다.

"지금 당장 결혼은 안 된다는 거죠? 그래도 언젠가는 결혼하고 싶어요~, 언제나 함께 있고 싶어요~, 이런 막연한 이야기라면……."

"그야 물론 같은 의미로 대환영이지."

전부터 그런 이야기는 했었으니까.

나는 아무런 책임도 질 수 없는, 굳이 따지자면 덜떨어진 고등학생이기에 확실한 약속은 도저히 할 수 없지만.

"으음, 다행이네요. 저와는 놀이로 결혼했을 뿐이라는 말을 들었다면 여기서 뛰어내리려고 했어요……."

여기, 라며 낮은 벤치를 가리키며 말했다.

뛰어내린다고 해서 순간 핏기가 가셨지만, 거기? 거기서 뛴다고?

"그 벤치에서 뛰어도 깔끔하게 착지할 뿐이라고 생각하는데."

"루시안을 남기고 죽을 리가 없잖아요! 놀이였다면, 진심이 될 때까지 노력할 거예요!"

"……혹시 나는 평생 도망칠 수 없는 건가."

"아코에게서는 도망칠 수 없다! 라고요!"

자신감 넘치는 말과는 반대로, 도망치지 말라는 마음이 담겨있는 것처럼 들렸다.

오히려 나야말로 아코를 놓아줄 생각이 없는데…… 어라?

생각해보니, 문득 알아챈 무시무시한 사실이 있었다.

"……아니, 거짓말이지? 설마 그런……."

"왜 그러나요?"

"냉정하게 생각해보니까. 내가 말한 건, 지금 당장 책임을 질 수는 없지만 아코를 붙들어두고는 싶다는 뜻 아닌가?"

"대충 그러네요!"

아코는 고개를 끄덕였다. 아직 문제가 뭔지 깨닫지 못한 모양이다.

즉, 내가 생각하고 있는 걸 정리하자면.

"깨닫고 말았는데, 혹시 나는 쓰레기 자식이 아닐까?!"

"그, 그렇지는 않다고 생각하는데요!"

"그치만! 여친은 결혼하자고 하는데 지금은 무리라며 거절하면서 도망치고! 그래도 좋아하니까 헤어지고 싶지는 않고, 언젠가는 결혼하고 싶다고 생각한다는 애매한 구두 약속만 하고!"

생각하면 생각할수록 위험한 느낌이 든다!

"혹시 나, 쓰레기였어?! 내가 글러먹은 거야?! 고등학생 신분으로 결혼하자고 말하는 아코보다 내가 더 너무하다고?!"

"아뇨, 저기, 그래도…… 헉! 그렇게 생각한다면 오케이를 해주실 수 있을까요!"

"그렇다고 해서 OK를 하는 것과는, 또 다른 이야기지만……."

어쩌지, 어쩌지. 그렇게 잠깐 고민한 끝에.

응, 어떻게 되든 쓰레기 자식이라면, 성실한 쪽을 고르자!

"내 기준에서는, 책임도 질 수 없는데 가볍게 약속하는 게 더 나쁘니까 역시 안 돼!"

"에엑!"

"노력해서 책임을 질 수 있게 될 테니까, 조금만 더 기다려줘."

"책임 같은 건 생각하지 말고, 둘이서 노력하자고요."

"아코를 향한 책임이라고만 하기에는, 나 자신의 책임 같은 것도 있잖아?"

"안 되면 둘이서 추락하자고요."

"그 전제가 있으니까 안 된다고 하는 거잖아?!"

아슬아슬하더라도 둘이서 살아갈 수만 있다면 된다는 마음가짐으로 프러포즈를 하면 내가 곤란하다고!

행복한 가정을 꾸리자는 꿈을 가져!

"으으, 역시 안 되나요~."

한동안 거절하자, 역시 아코도 단념했는지 시무룩하게 목소리 톤을 내렸다.

"모두에게도 상담했지만, 『너 정말로 그러지마』, 『초조해하지 않아도 되지 않을까?』, 『선생님보다 먼저 결혼하게 되면 괴롭다냐』 같은 말을 들었어요."

"누가 어떤 말을 했는지 단번에 알 수 있는 어드바이스네."

모두 반대한 모양이다.

고마워. 정말 고마워.

"뭐, 그게, 말이지? 딱히 상식이나 사회 같은 걸 절대적으로 볼 생각은 없지만, 평범하게 어울리는 나이가 될 때까지 기다리더라도 전혀 곤란하지 않잖아. 지금은 미루자고?"

"루시안이 꺾이지 않는다는 건 알겠어요."

고개를 끄덕인 뒤.

"하지만 저도 포기하지 않아요!"

"포기하지 않는다니……."

아코는 양손을 가슴 앞에 쥐고, 결의가 담긴 목소리로 말했다.

왠지 과거의 기억이 되살아났다.

LA에서 아코에게 프러포즈를 받았을 때의 기억. 알맹이가 남자이지 않을까 하는 마음이 도저히 사라지지 않아서 결사의 각오로 거절한 내게, 아코가 똑같은 말을 했던 것 같은데.

"저기, 아코 씨? 그건 혹시……."

"앞으로 몇 번이고, 몇 번이고 프러포즈하겠어요! 그러니까 적당한 타이밍에 오케이해주세요!"

"역시 게임에서 했던 그거잖아! 현실에서 하는 건 장난이 아니니까 그만둬!"

"일단 부두로 가죠! 거기서 프러포즈를!"

"성공 패턴을 노리러 가는 건 그만둬!"

어떻게든 아코를 진정시키고 역으로 보낸 뒤.

귀로를 밟으면서 핸드폰 달력 앱을 열었다.

화면에는 2월의 수많은 예정이 표시되어 있다.

아코의 생일 파티 준비, 아코의 생일 파티, 밸런타인, 마스터의 응원회 등등 예정이 줄지어 늘어선 가운데, 한 줄이 추가됐다.

■아코에게 프러포즈 받는다.

"……이거, 이벤트나 할 때가 아니잖아."

1년에서 가장 짧은 달, 2월. 바쁜 한 달이 되는 건 각오했지만.

이건 좀, 그럴 경황이 아니게 될 것 같다.

■2월 3일 일요일

“정말로 고생이었네.”

“기, 기쁜 일이기는 하잖아?! 좋아하는 사람한테 프러포즈를 받았으니까?!”

“기쁘긴 하지만, 조금 험난했어…….”

다음 날, 2월 3일. 일요일 오후의 일이다.

전에 왔던 적이 있는 아울렛 몰에 나는 세가와, 아키야마와 함께 쇼핑을 나왔다.

아코는 없어서 셋뿐. 남자 한 명에 여자 두 명 멤버다.

—아니, 프러포즈를 거절한 게 거북해서 부르지 않았다거나, 그런 이야기는 아니라고?

오늘은 이틀 후를 앞둔 아코의 생일을 맞이하여 선물을 사러 왔다.

작은 선물을 각자 주는 게 아니고 모두 함께 상의해서 하나의 좋은 물건을 선물하기로 해서, 본인을 제외한 멤버가 선물을 고르러 온 거다.

물론 마스터의 예산을 제한하는 목적도 있다.

그 사람은 원하는 물건이라면 진짜로 뭐든 줄 것 같았으니까.

정작 마스터는 오늘이 첫 입학시험 날이라 오지 못했다. 후타바는, 후배인데 자기가 받기 전에 돈을 내라고 하는 건 좀 그런 것 같아서 제외.

우리 셋이서 쇼핑하러 왔기에, 마침 잘됐다며 어제 보고를 한 거다.

현재는 대화를 나누면서 귀여운 소도구가 가득한 가게를 돌아다니는 고행을 하고 있다.

혼자였다면 이런 가게, 절대로 들어오고 싶지 않아.

"우리도 조금 상담을 받았거든. 일단은 우리도 반대했어."

세가와가 폭신폭신하고 조잡한 털로 만들어진 커다란 고양이 인형을 선반에 되돌리며 말했다.

"말하기만 하는 거라면 몰라도, 정말로 결혼하는 건 간단하지 않잖아. 그만두라고 했지."

"응응. 서두르지 않아도 된다고 말하긴 했는데~."

"고마워, 고마워."

결과적으로 막을 수는 없었지만, 아코가 은근히 바로 납득해준 건 모두의 협력 덕분이다. 정말로 고맙다.

그러고 보니, 아코의 이야기를 듣고 조금 신경이 쓰였는데.

"두 사람하고 선생님이 막았다는 건 들었는데, 마스터는?"

"시험이 가까우니까 루시안의 마음에 맡긴댔어."

"지당하네!"

수험 직전에 나와 아코의 개인적 사정에 휘둘릴 수는 없으니까.

우리만으로 확실히 해결해야지.

"그나저나 현실에 눈을 돌리게 된 건 좋지만, 어째서 이상한 방향으로 나아가는 거야, 아코……."

"아코에 한정하자면 이상하지 않은 것 같긴 해."

"응. 아코라고 생각하면 평범할지도 모르겠네?"

"평범하지 않거든? 이상해! 냉정해지라고."

아코도 꽤 평범한 여자아이가 되었다고 생각했는데 말이지.

묘한 부분에서 감화되어서 현실에서 결혼하겠다는 말을 꺼낼 줄이야. 현실과 게임은 다른 게 아니었던 거냐, 젠장!

"애초에 니시무라도 이상하잖아?"

아키야마가 의아한 듯이 이쪽을 바라봤다.

어찌하여 그런 말을.

"이 흐름에서 나의 어디에 이상한 부분이 있다고 말씀하시는지?"

"여친한테 역프러포즈를 거절한 다음 날에 개의 생일선물을 사러 오다니, 조금 위험한 거 아냐?"

"아~, 사이코패스란 느낌이네."

누가 사이코패스 느낌이 난다는 거야! 그건 남용해도 되는 단어가 아니라고!

"나와 아코는 프러포즈를 거절한다든가 OK한다든가, 그런 걸로 달라지는 관계가 아니야! 딱히 문제없다고!"

"이제 결혼할 필요는 없지 않을까?"

"그걸 아코한테 말해달라고……."

이야기를 나누면서 슬금슬금 가게 안을 돌아다녔다.

그러나 딱히 확 와닿는 아이템을 찾을 수 없었다.

"아코가 기뻐할 만한 물건 고르는 거, 어렵네."

"그러게. 뭘 주더라도 기본적으로는 기뻐하니까."

기본적으로, 친구한테 받았다는 시점에서 기뻐하기는 할 거다.

그렇다고 아무거나 선물해도 된다는 건 아니다.

"하지만 아코 본인의 취향을 맞춘다면, 반대로 곤란하니까……."

"뜨개질 도구이나 조리도구 같은 건, 취향이 드러나니까~."

"이상한 부분에서 고집스럽단 말이야. 아무래도 좋은 물건이라면 뭐든 좋아하면서, 정말로 좋아하는 물건은 직접 고르지 않으면 직성이 풀리지 않는다니."

"그냥 오타쿠의 기본 성질 아닐까?"

나도 취향에 맞지 않는 키보드를 받으면 쓰기 곤란하니까.

그렇게 이야기를 나누며 걷고 있는데.

"이건 어때? 니시무라가 주면 분명 기뻐하지 않을까?"

아키야마가 선반 하나를 가리키며 말했다.

덤처럼 진열된 싸구려 액세서리 선반이다.

안에는 귀여운 반지도 수없이 진열되어 있어서— 오호, 이걸 선물하는 건가.

"반지라……. 뭐, 희희낙락 받긴 하겠네."

"아니아니아니, 프러포즈를 거절한 직후에 반지를 주는 건 이상하잖아."
완전히 심술부리는 셈이다.
"그래도, 그래도! 반지를 선물하면서 지금은 결혼할 수 없지만 조금만 기다려달라고 말하면, 아코는 납득하지 않을까?"
"……아아, 그건 그럴지도……."
입으로만 막고 있는 지금의 쓰레기 자식 모드보다는 조금은 나을지도 모른다. 별로 다르지 않은 것 같기도 하지만, 다소는 낫다고 생각할 수도 있다.
그러나, 으~음, 반지라…….
"……솔직히 말해서, 생각하지 않았던 건 아니야."
아코가 프러포즈를 하고 싶다고 말한 걸 엿들은 시점에서, 이쪽에서 먼저 말할까 하는 생각은 했다.
그러나 그건 너무나도, 내 희망과는 어긋나 있다.
"둘 다, 한번 상상해보라고."
진열된 이미테이션 반지를 가리켰다.
"만약에 말인데. 내가 살 수 있는 싸구려 반지를 사서, 지금은 결혼할 수 있는 나이가 아니고 장래도 모르지만, 언젠가는 꼭 결혼하자고 약속하면…… 그야 좋은 이야기이긴 해도, 그건 그냥 약혼 놀이 아닐까?"
"아…… 응. 조금 어린애 장난 같기는 할지도."
자기가 그런 프러포즈를 받는 걸 생각한 건지, 아키야마는 무척 미묘한 표정으로 끄덕였다.

"그렇지? 역할 놀이라면 게임에서 하면 된다고. 우리가 하는 건 모두 함께 즐기는 역할 놀이(MMORPG) 게임이니까."

내가 하고 싶은 건 그런 게 아니다.

내게도 나 나름의 이상이라는 게 있다고.

"좀 더 뭐랄까, 제대로 취직하고 장래의 전망이 선 뒤, 가슴을 펴고 아코네 아버지를 만나러 가서, 『그래도 딸은 안 준다!』 같은, 그런 평범한 루트를 걸어 결혼하고 싶어!"

"니시무라다운 보수적인 의견이네."

"1회 한정 퀘스트는 클리어가 확실해질 때까지 레벨을 올리고 하는 타입이라니까."

"실패하면 끝이니까 당연하잖아!"

인생이 걸려있는데, 아직 성공 가능성도 모르는 상태에서 도전할 수 있을 리가 없다고!

"참고로, 아코네 아버지는 무서운 사람이야?"

"아니, 엄청 좋은 사람. 틀림없이 잘 부탁한다고 말씀하실 거야."

아들이 생긴 것 같다며, 굉장히 잘 대해주셨던 분이다.

도저히 반대할 것 같지 않다.

"니시무라도 니시무라대로 아코네 집 바깥 구덩이부터 메웠구만."

"메웠다기보다는 메워졌다고 해야 하려나."

나도 아무 생각이 없는 건 아니다. 오히려 아코보다 리얼하게, 현실적인 미래를 상상하고 있다고!

루트가 다를 뿐이지, 나도 장래에는 잘해나가고 싶다고 생각해!

그렇기에, 이런 아무런 책임도 질 수 없는 상태에서 말로만 약속하고 싶지 않은 거야!

"아무튼, 지금은 아니야! 나 자신도 불안하고, 주변 사람들도 불안할 거고. 그런 안정감이 없는 건 안 돼!"

"뭐, 두 사람의 문제니까~."

아키야마는 흠흠, 하고 끄덕이며 들었다.

반대로 세가와는 무척 힘 있게 말했다.

"이해해, 이해한다고!"

그러면서 동그란 눈을 한 강아지 인형을 슥슥 쓰다듬었다.

"그래. 지극히 정답이야! 기세만으로 결혼해봤자, 결국은 가족 모두가 고생한다니까!"

"가, 감정이 꽤 담겨있네?"

"난 말이지. 모두와 같은 사립 대학을 제1지망으로 한다고 결심한 순간부터, 장학금이라는 이름의 십자가를 짊어질 각오도 하고 있단 말이야."

허공의 한 점을 바라보던 세가와는 어딘가 그늘진 어조로 말했다.

"부모님한테 불만을 말할 생각은 없어. 낳아주고 길러주

신 것만으로도 충분해. 내 인생은 내가 결정할 거야. 결정하겠지만, 그래도—.”

분한 듯이 발밑에 시선을 내렸다.

“지금의 가족 그대로, 조금 더 유복한 가정이었다면 좋았을 거라는, 생각이 들기도 해……!”

“그, 그렇구나…….”

“고생하네, 세가와…….”

정말로 절실한 말이었다.

마, 마음은 이해합니다.

우리 집 부모님은 인격적으로는 우스운 사람들이지만, 그래도 학비는 걱정하지 말라고 말해준다는 걸 생각하면 나 자신이 한심해질 정도다.

“그렇긴 하지. 그렇게 나중 일까지 생각하는 건 아니지만, 지금의 나는 행복한 가정을 만들 자신이 없다는 건 확실해.”

“아코 본인도 그래. 니시무라에게 부담이 되지 않는 수준……까지는 말하지 않겠지만, 제대로 뒷받침은 해줄 수 있게 되어야 해. 지금의 걔가 프러포즈라니 뻔뻔하다고!”

“저, 정론이지만…… 무서운 소리를 하네, 아카네…….”

“아코한테는 말하지 마, 울 테니까.”

“메신저로 보냈더니 우는 얼굴 스탬프를 연타하더라.”

“가차 없어!”

“일단은 우회해서 말했거든?!”

세가와는 뒷담화를 하지 않으니까, 그야 본인에게도 말했겠지만!

"아무튼, 나는 니시무라의 편이야! 현실의 결혼은 기세만으로 간단히 결정할 수 있는 게 아니니까!"

"고마워, 고마워!"

"……아카네. 오빠가 결혼한 거, 아직도 신경 쓰는 거야? 아니면, 정말로 결혼해버리면 이제 가능성이 없겠다고 생각해?"

"아앙?"

"아, 아무것도 아냐! 잊어줘!"

아아, 이전에 세가와네 오빠가 갑자기 결혼한다는 말을 꺼내서 꽤 혼란스러워했던가.

그렇게 생각하면, 세가와가 내 편을 들어주는 마음은 이해된다.

"애초에 말이지. 게임에서는 이벤트 한가득, 정기 시험에 마스터의 입시, 거기에 졸업식도 가깝거든? 이렇게 바쁠 때 프러포즈나 하고 있을 때가 아니잖아."

"나도 그렇게 생각해서 왜 이런 타이밍이냐고 물어봤는데, 바쁜 시기에 말하면 분위기로 OK해주지 않을까 생각했다고 하더라."

"분위기라니, 또 바보 같은 소리를…… 어라, 그래도 혹시……."

"세가와?"

복잡한 표정으로 눈살을 찌푸린 세가와는 내 쪽을 돌아봤다.

"니시무라. 아코 관련으로 무슨 일 있으면— 아니, 아무 일도 없어도 보고해. 조금 본격적으로 상담 받아줄 테니까."

"어, 그건 고맙긴 한데, 왜 그렇게 진지하게?"

"조금 불길한 예감이 든단 말이야."

"무서운 소리 하지 마…… 나도 느끼고 있지만."

경험상, 뭔가 굉장히 위험한 기분이 든다. 예상보다 성가신 일이 벌어질 것 같은, 그런 느낌이 든다.

"알았어. 세가와에게 정기 보고할게. 내가 아코에게 지지 않도록 잘 부탁해."

"맡겨둬. 파트너로서 네 엉덩이는 지켜줄 테니까."

"말투우!"

"열심히 해!"

느긋하게 말한 아키야마가 고개를 갸웃했다.

"자, 그럼 아코한테 뭘 줄까? 절반은 소모품 같은 걸로 할래? 그을리지 않는 프라이팬 같은 건 빈번하게 사니까!"

"그렇게 주부 취급을 하는 건 그만두라고!"

■2월 4일 월요일

오늘부터 복각 이벤트 제2탄이 시작된다.

과거에 기간 한정으로 싸웠던 레이드 보스가 부활한다는, 복각 레이드 보스 이벤트다.

그것도 더욱 파워 업한 초고난이도 버전이라, 우리 같은 즐겜러는 아무리 생각해도 못 이긴다. 그래서 끝나기 전에 한 번 정도 고개만 내밀자는 이야기를 했습니다.

오히려 우리에게는 더 중요한 일이 있었다.

◆슈바인 : 자, 수확을 서두르라고! 향신료 하나하나를 보석처럼 다루는 거야!

◆루시안 : 영차영차~.

◆아코 : 영차영차예요.

수수하게 재배를 이어가던 니시무라 농원에선 향신료 수확 작업에 한창이다.

◆세테 : 요리의 수요가 이렇게나 올라갈 줄은 몰랐네~.

◆슈바인 : 그만큼 복각 보스가 강하다는 뜻이잖아. 돈이 되니깐 재배하는 거야!

그렇다. 복각 보스를 포함한 전투 형식 이벤트가 열린다는 예상, 그리고 이벤트의 일환으로 관세가 완화되었기에 소비 아이템이 무척 잘 팔리고 있다.

특히 이번 레이드 보스가 엄청나게 강하기 때문에, 보통은 대인전 말고는 쓰지 않는 비싼 버프 아이템이 굉장히 인기다.

◆세테 : 옛날 보스가 어째서 그렇게 강한 걸까?

◆슈바인 : 인플레에 맞추기 위해 과도하게 강화해서 그렇지.

◆루시안 : 온라인 게임 운영진은 은근히 극단에서 극단으로 내달리기도 하니까.

터무니없이 강한 장비를 추가했다가 너무 강하니까 쓰레기가 될 때까지 약체화하는, 밸런스 감각이 결핍된 운영진이 많단 말이지.

그래서 이번 이벤트 보수도 정말로 받을 수 있을지 미심쩍은 거다. 그대로 추가된다면 너무 강하니까.

◆아코 : 으으, 농작업도 오랜만이라서 조금 보람이 있는 게 분해요……!

향신료를 수확하던 아코가 밀짚모자를 다시 쓰며 말했다.

◆루시안 : 할당량을 부과하면 귀찮지만, 가끔 하는 건 꽤 즐겁다니까.

생산 스킬하고는 인연이 별로 없지만, 미니 게임은 때때로 하고 싶단 말이지.

◆아코 : 아아, 이제 들 수가 없어요! 아이템이 꽉 찼어요!

◆루시안 : 헤이, 패스! 이쪽은 아직 여유로우니까!

◆아코 : 부탁합니다!

아코에게 향신료를 받아서 출하용 길드 박스에 넣었다.

나중에 모아서 마켓에 올리자.

◆세테 : ……좋긴 하지만, 오히려 기쁜 일이지만…… 프러포즈를 거절당한 뒤인데도 정말 평소 그대로네.

세테 씨가 어이없는 말투로 말했다.

멍하니 있지 말고 일을 계속해주세요.

◆루시안 : 그러니까 이제 와서 달라지지는 않는다고 했잖아.

◆아코 : 맞아요. 프러포즈를 거절당한 게 몇 번째라고 생각하나요~.

◆세테 : 현실에서는 처음이잖아?!

◆아코 : 현실과 게임이 뭐가 다르다는 건가요.

아코는 「싫다~」 라면서 웃으며 말했다.

정말, 아무것도 변하지 않았다.

아니, 나는 처음에는 조금 신경 썼거든?

거절당할 줄 알았다고 해도, 역시 슬플 테니까— 라고.

근데 아코가 말이지.

◆아코 : 아, 맞아요. 루시안.

마침 아코가 개인 채팅을 보냈다.

◆아코 : 어제 슈네랑 제 생일선물을 사러 갔다고 들었는데요.

◆루시안 : 아, 함께 가서 샀지. 센스 좋은 두 사람이 골랐으니까, 기대하라고.

◆아코 : 감사합니다!

「그건 그렇고」 라고 말문을 연 뒤.

조금 떨어진 위치에 있던 아코가 슬쩍슬쩍 이리로 다가왔다.

그리고 나를 올려다보는 자세를 취하면서.

◆아코 : 루시안에게 개인적인 선물을 받고 싶다고, 부탁하는 건 안 되나요?

◆루시안 : 아, 딱히 상관없어.

◆루시안 : 그보다, 프러포즈로 어수선하지 않았다면 뭔가 줄 예정이었다고?

프러포즈를 거절한 이후에 멋진 선물을 주는 건 뭔가 좀 아닌 것 같아서 보류했지만.

◆아코 : 그럼 꼭 받고 싶은 것이!

◆루시안 : 말해보시죠.

◆아코 : 반지! 반지가 좋다고 생각해요!!

◆루시안 : 반지는 좀 아니지! 학생한테 무리한 말 하지 마!

아키야마가 말했던 거, 그대로 요구하고 있잖아!

이거야, 이거! 아코의 텐션이 이렇다니까!

프러포즈를 거절당해서 풀이 죽었다거나 그런 건 전혀 없고, 이미 한번 말했으니까 이제는 잃을 게 없다는 식으로 마구 공세를 퍼붓고 있다고!

◆아코 : 괜찮아요. 100엔 숍의 장난감 반지 같은 거라도 상관없으니까요!

◆루시안 : 언젠가 좀 더 제대로 된 걸 준비할 테니까! 그런

걸로 타협하지 않아도 돼!

◆아코 : 생일에 또 프러포즈할 예정이니까, 언젠가가 아니라 당장 받고 싶어요!

◆루시안 : 두 번째 예고 프러포즈 그만둬!!

◆아코 : 결혼해주세요!

◆루시안 : 싫어요!

아아, 정말! 거절해서 거북하다고 생각할 여유도 없다.

게다가 거절하는데도 전혀 꺾이지 않는다.

오히려 강하게 밀어붙이고 있다. 어필이 굉장하다.

◆아코 : 우우……, 그럼 대신 부탁하고 싶은 게 있는데요.

◆루시안 : 말해봐.

◆아코 : 슈슈가, 오빠의 수제 요리는 맛있다고 자랑했어요. 그러니까 저도 한번 먹고 싶은데요!

◆루시안 : 어, 응. 뜻밖에도 멀쩡한 부탁이…….

정말 제대로 된 부탁이잖아.

처음부터 그쪽을 말했으면 좋았을 텐데!

◆루시안 : 근데 말이지. 자신 있게 말할 수 있는데, 나는 아코보다 훨씬 못해.

◆아코 : 그런 문제가 아니에요. 루시안의 수제 요리라는 게 중요하다고요.

◆루시안 : 그 감정은 이해할 수 있으니까 알았어.

잘하고 못하고의 문제가 아니라, 만들어주길 바란다는 마음은 이해한다.

아코가 가족에게만 수제 요리를 대접하고, 내게는 절대 만들어주지 않는다고 한다면 꽤 슬펐을 테니까.

◆루시안 : 그럼 내일은 일찍 가서 부엌을 빌려도 될까?

◆아코 : 네. 같이 준비해요! 루시안과 함께하는 시간도 중요한 선물이에요!

싫다, 얘. 기쁜 소리를 하잖아.

◆루시안 : 심쿵…….

◆아코 : 루시안이 두근두근했네요! 지금 몇 포인트인가요?

◆루시안 : 아코, 10포인트!

◆아코 : 해냈어요! 단독 톱이에요!

프러포즈가 있었지만, 역시 우리의 관계는 변함없다.

◆아코 : 루시안의 위장을 붙잡기 위해 저도 노력할 테니까요.

◆루시안 : 이미 꽉 붙잡고 있는 것 같은데…….

그러나 아코의 어필이 일찍이 없을 만큼 격렬해서, 솔직히 두근두근하는 내가 있었다.

■2월 5일 화요일

"해피 버스데이 투 유~!"

"해피 버스데이 투 유~."

"해피 버스데이 디어 아~코~!"

"해피 버스데이 투 유~! 이예~이!"

"감사합니다! 감사합니다!"

자기 가슴에 손을 댄 아코가 눈물 젖은 목소리로 감사의 말을 반복했다.

어둠 속에서, 홀 케이크에 장식된 17개의 촛불이 아련하게 빛났다.

"자, 아코. 빨리 불 꺼야지."

"단번에 끄면 소원이 이루어진대. 힘내!"

"그러고 보니, 그런 특수 효과도 있었네요!"

특수 효과라니, 아이템이 아니거든?

"가, 갑니다!"

아코는 크게 숨을 들이쉬고는.

"후우! 후우우우우! 후우우우우우우우우우우! 후규우우우우우!"

"무리하지 마! 불지 못했으니까! 전혀 안 꺼졌으니까!"

후반부는 벽에 부딪힌 복어처럼 되었다고!

"두 개밖에 못 껐잖아…… 폐활량이 대체 어떻게 된 거야……."

"유감이네~."

"루시안과 결혼하고 싶다는 소원을 이루고 싶었는데에에에에에!"

"생일 케이크를 촉매로 저주를 걸지 마! 오늘은 축하하는 날이라고!"

"저주가 아니에요, 소원이라고요!"

"하하하. 자, 불을 켜자."

마스터의 목소리와 함께 거실에 확 불빛이 돌아왔다.

2월 5일은 아코의 생일. 올해는 타마키네 집에서 개최했다.

집을 빌려도 되냐고 교섭했더니, 「그러면 남편과 둘이서 식사하고 올게~」 라며 웃으며 대답해준 타마키 어머님에 의해 우리가 대절했다.

"그럼 다음은 선물 증정! 아카네, 부탁해!"

"자, 아코. 생일 축하해."

"감사합니다~!"

세심하게 포장된 봉투를 받은 아코는 오늘 몇 번째인지 모를 감사를 표했다.

자기 생일인데 평소보다 저자세처럼 보인다.

축하받는 것에 익숙하지 않은 아코답다.

"지금 열어도 될까요?"

"음. 나도 사진으로만 확인했으니, 꼭 보고 싶다."

"물론, 열어봐!"

"실례합니다~!"

포장지를 찍찍 열었다.

나는 모르지만, 인기 있는 브랜드로 보이는 화려한 포장

속에는—.

"이거…… 블랭킷인가요?"

"응. 아코에게 확실히 맞는 걸 골랐어!"

"크긴 하지만 무릎 담요로도 겸용할 수 있어."

"학교에서도 쓸 수 있겠네요! 감사합니다!"

블랭킷. 요컨대 담요다. 덮어도 되고, 걸쳐도 되고, 꾸미기도 되는 만능 아이템이라는데, 내 센스에서는 전혀 선택지에 나오지 않았다. 모두 함께 고르는 아이템은 그런 의미에서도 고맙다.

"에헤헤. 겨울에는 매일 쓸게요."

아코는 싱글벙글 웃으면서 바로 무릎에 덮어서 사용했다.

기뻐해 줘서 다행입니다.

"참고로 이 선택은, 당일에는 없었던 마스터의 의견이 크게 반영됐어."

"호에? 그런가요?"

"음, 무엇을 숨기랴. 이 내가 무릎 담요를 추천한다고 진언한 거다."

마스터는 탄산수가 들어간 와인글라스를 거만하게 흔들었다.

"수험 공부에 힘썼던 요 1년, 내가 가장 신세를 진 게 무릎 담요였으니까. 분명 아코 군의 도움이 되겠지."

"어, 무릎 담요를 쓰는 건 겨울뿐 아닌가요?"

아코가 어리둥절했다. 그 표정이—.

"잘 들어라, 아코. 입시학원 교실이나 자습실은, 1년 내내 냉방이 굉장히 세다. 매우 추운 거다."

—마스터의 말을 듣자마자 빠직 굳어졌다.

그렇다는 모양이다. 일반학원이나 입시학원의 교실은 여름철에도 여자아이에게는 굉장히 춥다고 한다.

본인의 말로는 몸이 튼튼한 마스터조차도, 들고 다닐 수 있는 방한 의류를 소중히 여겼다고 한다.

"무릎 담요는 필수라고 해도 좋을 아이템이다. 커다란 블랭킷이라면 걸칠 수도 있지. 굉장히 좋은 선택이라고 생각한다."

"잘됐네, 아코. 이걸 써서 열심히 공부하자."

"보통은 겨울밖에 쓰지 않지만, 올해만큼은 1년 내내 쓸 수 있어! 해냈네!"

"…………이야기를 들을 때까지, 근사한 물건을 받았네~, 와~아, 라고 생각했어요오……."

웃고 있는 세 사람과 달리, 아코는 텐션이 축축 내려갔다.

아니아니, 수험하고 상관없더라도 좋은 물건이니까 기뻐하라고.

"저기, 전 선물비를 안 냈는데요."

후타바가 손을 들며 말했다.

"받기 전에 내는 건 싫잖아? 미캉의 생일에 모두가 건네주고, 다음부터 참가야."

"어라? 미캉의 생일은 언제였더라?"

아키야마가 듣지 못했다고 말하자, 후타바는 평탄한 목소리로 대답했다.

"12월 2일."

"지나갔어어어어어어!"

"끝났잖아!"

"어째서 말하지 않은 거냐, 미캉!"

"……네? 귤(미캉)의 계절은 겨울이니까, 알고 있을 줄 알았는데."

그걸로 짐작하라고 해도!

"그럼 어쩔 수 없네. 다음 생일 파티는 4월의 니시무라야."

"18세 생일이네요. 후후후후후후후."

"수상하게 웃는 건 그만둬."

과속 결혼 같은 건 절대로 안 할 거니까!

"자, 많이 드세요~."

"잔뜩 만들었네."

"남은 건 내일 도시락에 써도 되니까요."

자택의 좋은 점을 발휘해서 만들고 싶은 만큼 만든 결과, 명백하게 여섯 명으로는 다 먹을 수 없는 양의 요리가 준비되었다. 아코, 엄청 노력했다.

"아, 여기 컵 하나 더 줄 수 있어?"

"아코. 혹시 접시가 조금 더 있으면 기쁠지도~!"

"네~에."

그리고 아코는 자기 생일인데도 직접 요리를 준비한 데다 부지런히 잡일까지 하고 있다.

"왜 아코가 제일 애쓰는 걸까……."

"그야, 멋대로 부엌에 들어가서 이것저것 가져오는 것도 미안하잖아."

"그렇긴 하지만."

"니시무라는 마음대로 드나들어도 괜찮지 않아?"

"안 괜찮거든!"

나도 타마키 가의 일원인 것처럼 취급하지 말라고!

"괜찮아요~."

정작 아코는 태평하게 접시를 가지고 돌아왔다.

"오늘은 루시안에게 어필하기 위해 여자력을 발휘하겠다고 결심했으니까요!"

"호호오, 먼저 위장부터 공격하려는 건가."

"정석이죠!"

"그건 내가 들어도 되는 이야기야?"

위장은 벌써 잡혀있다고 생각하는데.

"그럼 잘 먹겠습니다~! 아, 이 닭고기 맛있어!"

아키야마가 눈앞에 잔뜩 쌓인 닭다리살을 한 조각 입에 넣었다.

호호오, 그걸 고르다니 안목이 높군!

"이거 어떻게 만들었어? 아코. 굉장히 촉촉해!"

"……저, 저기, 세테 씨."

"응?"

"그거 만든 거, 제가 아닌데요."

"……어?"

아코가 내 얼굴을 슬쩍 바라봤다.

그리고 아키야마도 이쪽을 봤다.

"응?"

"응."

포크를 겨누고 고개를 갸웃했기에, 고개를 끄덕여서 답했다.

그렇습니다. 그걸 만든 건 바로 접니다.

"맛있지? 맛있지?"

"헐~, 니시무라. 정말로 요리 못하는 사람이 아니었구나."

"씨익."

"니시무라의 의기양양한 얼굴이 짜증 나는데."

세가와가 그런 말을 하는 사이에도.

"호오호오. 꽤 제법이지 않은가."

"맛있음."

"씨이익."

닭고기를 입에 넣은 마스터와 후타바도 합격점을 줬다.

"흥. 남자가 대충 만든 요리가 내 혀에 맞을까?"

그리고 세가와도 우물우물 입을 움직이더니 이윽고.

"……제법이잖아."

"씨이이익."

완전 승리다.

아니, 레시피대로 만들었을 뿐이고, 담는 건 아코가 도와줬으니까 딱히 가슴을 펼 요소는 없긴 하지만.

"안쪽의 육즙이 굉장하네, 어떻게 했어?"

"이건 말이지. 닭다리살을 저온에서 천천히 차분하게 굽는 거야. 굽기 전에 여분의 기름을 확실히 제거하고, 사전에 소금을 쳐서 수분을 확실하게 빼고 냄새를 잡는 것도 중요해."

"큭…… 뭐가 약불로 차분하게야. 나약하게. 화력으로 확 하는 게 빠르잖아."

"음. 약불이라면 시간이 필요한 것도, 강불이라면 한순간. 화력은 모든 것을 해결한다!"

세가와와 마스터의 요리치 양대 거탑이 뭔가 떠들어댔다!

"내가 말하는 것도 좀 그렇지만, 강불은 약불의 상위호환이 아니거든? 강하면 다 되는 게 아니라고. 화력이 아니니까."

"뭐야, 화력 이야기잖아!"

"화력이지만! 그 화력하고는 다르다고!"

온라인 게임의 화력은 높은 게 낫지만, 현실의 화력은 적당히 하는 거야!

"두 사람, 레시피대로 재료를 쓸 수 있게 되었으니까, 다음에는 화력을 적당하게 말이죠……."

"요리 숙달의 길은 꽤 멀어 보이네……."

스승인 아코와 아키야마가 어깨를 떨궜다.

세계의 평화를 위해 노력해줬으면 좋겠다.

그리고 유일하게 위치가 다른 후타바는.

"조리부인 저, 높은 곳에서 구경."

"너도 보나 마나 요리 못하는 쪽이잖아."

"낮은 곳에서 구경."

"솔직해……!"

인정하는 게 빨라!

"그래도 부 활동에서, 제대로 노력하고 있으니까."

"그건 장하네."

노력을 아끼지 않는 건 후타바의 좋은 점입니다.

"그런데 니시무라. 다른 건 뭘 만들었어?"

"분명 실패한 것도 섞여 있을 거야. 가르쳐줘."

"기다려주세요. 왜 루시안의 밥만 이렇게 인기가 많은 건가요?"

"그야 아코의 요리는 언제나 먹고 있으니까."

"그러게~."

"아버지가 가끔 만든 밥이 인기가 있는 현상은 치사해요! 좀 더 엄마를 소중히 해야 한다고요!"

"부부를 넘어서서 어머니 어필을 하는 건 그만둬!"

그런 대화도 있었지만, 결국은 한때의 유행이었다.

처음에는 신기하게 젓가락을 뻗었지만, 역시 아코가 만든 진수성찬이 맛있으니까.

"뭐, 역시 아코가 요리는 더 잘하지."

"다시 반했나요?"

"벌써 반했다고."

"그럼 결혼할까요?"

"그건 언젠가 나중에."

"으으~!"

정말로 틈만 나면 프러포즈를 한다니까.

"너, 정말로 프러포즈하고 있네."

아코의 억지 프러포즈를 처음 들은 세가와가 어이없다는 표정으로 샐러드를 찔렀다.

"좀처럼 오케이해주지 않는다고요오."

"오히려 계속 거절하는 게 죄책감이 드는데."

"그럼 오케이해주면 되거든요?"

"이쪽의 죄책감을 이용하는 건 그만둬."

이 녀석 악마냐.

"도리에 어긋난다고 생각하긴 하지만, 다들 말려줘. 아코가 지금 당장 결혼하고 싶다고 진짜로 억지를 부린다니까."

"앗, 동료를 부르는 건 비겁해요."

아코가 일어나서 주변에 시선을 돌리며 말했다.

"다, 다들 그렇게까지 반대하는 건 아니, 겠죠?"

"아니아니, 물론 반대잖아! 그렇지?!"

우리의 질문을 듣자.

"흠."

처음에 마스터가 입을 열었다.

"미안하지만, 수험 전이라서. 지금 시점에서 의견을 표명하는 건 그만두지."

으음, 중립 표명이었다.

뭐, 그렇지. 바쁘니까. 어쩔 수 없지.

"초조해하지 않아도 되지 않을까? 머지않아 순리대로 될 거야."

아키야마는 느긋하게 웃으며 말했다.

"현실에서 결혼은, 조금 지나친 듯?"

후타바가 미묘한 표정으로 일단 동의했다.

왠지 자신이 없어 보이는데, 좀 더 기합을 넣어서 말려줘도 되거든?

"그래그래. 결혼은 서로 확실히 자립하고, 뭣하면 상대를 부양할 수 있는 위치가 되고 나서 하라고."

그리고 세가와가 고개를 끄덕이며 말했다. 역시 파트너야.

다행이다. 모두가 말려줬다.

그렇지. 나는 이상하지 않다고.

"자, 다들 그만두라고 말하잖아."

"너무해요! 저희의 행복을 응원해주세요!"

"응원하고 있으니까 이렇게 말해줬다고 생각하는데?"

타인의 연애라는, 아무래도 좋은 일을 일부러 들어주는 거잖아.

틀림없이 우리를 생각해서 말해준 거라고.

"……알겠어요."

아코는 고개를 숙인 채, 낮은 목소리로 말했다.

"그래요. 루시안의 바깥 구덩이는 전부 메웠지만, 제일 중요한 부분은 공략하지 않았으니까요."

아코는 묘하게 박력 있는 목소리로 우리를 빙그르르 돌아봤다.

"어, 음…… 오한이 드는데, 뭘 공략하지 않았다고 하는 거야?"

세가와가 조심조심 묻자, 아코는 질척질척한 미소를 보냈다.

"물론, 길원 모두죠. 동료가 마지막 벽이 될 줄은 몰랐어요."

"애초에 우리 문제거든! 모두를 말려들게 하는 건…… 아앗. 말려들게 한 건 나잖아?!"

도리에 어긋난 일이었는데 도와달라고 부탁한 건 나였어!

"생각해보니, 모두가 편을 들어주면 루시안은 절대 꺾이지 않잖아요! 먼저 모두를 아군으로 만들어야 했어요!"

"아무리 그래도 아코파가 되지는 않지!"

"그렇지 않아요! 두고 보세요. 위에 앉은 사람보다 먼저 말을 쓰러뜨리는 식으로, 루시안을 함락시킬 테니까요!"

"장수를 쏘려면 먼저 말을 쏴라, 아닌가."
"네, 그거예요!"
마스터에게 미소를 보낸 아코는 주먹을 쥐었다.
"모두를 공략해서, 반드시 제 동료 악마로 삼을 테니까요!"
"…………"
명백하게, 동료가 아니라 동료 악마라고 말한 것 같다.
무섭다.
굉장히 무섭다.
아코를 바라보는 우리의 마음이 하나가 된 기분이 들었다.

And you thought there is Never a girl online?
2장
“너의 성적이 누군가에게 침략당하고 있어”

■2월 6일 수요일

학교로 등교해서 교실에 들어간 직후. 그야말로 아침 일찍일 때의 일이다.

"좋은 아침이네요, 루시안. 결혼해주세요!"

"좋은 아…… 뭐?"

"……타마키. 뭐라고 했어?"

"결혼……?"

아코가 웃으며 말하자 반의 분위기가 경직됐다.

나도 순간 굳어졌지만, 그럴 때가 아니었다.

해야 할 말은 하나!

"거절한다!"

"어째서인가요~!"

"그보다, 아침 일찍부터 영문 모를 소리를 하는 건 그만두라고!"

"우우우, 알겠어요. 다른 형식으로 할게요."

"안 해도 돼."

"……아아, 그럴 수가."

"뭐야, 재미없게."

우리의 대화를 들은 반 아이들 일동은 평소대로냐며 흥미를 잃었다.

저기, 내가 말하는 것도 좀 그렇지만, 다들 너무 오염되지 않았어?

아무튼, 수업 중에 문제가 일어나지는 않았고.

아코는 선물 받은 블랭킷을 바로 무릎에 올려놓고 있었다.

때때로 손으로 매만지고 있는 게 흐뭇하다. 평화로운 광경이었다.

얼마 전에도 그랬지만, 우리가 노는 탓에 마스터도 그에 이끌리고 있다는 감각이 조금은 있다.

내년은 우리가, 내후년에는 후타바와 미즈키도 똑같은 처지가 될 거고, 이쪽도 기말고사가 2주일 뒤에 기다리고 있다.

그런고로, 오늘은 부실에서 공부 모임이다.

모르는 부분을 서로 가르쳐주면서, 조금이라도 성적을 올리자!

—그럴 예정이었는데.

"신 정부군과 구 막부 세력이…… 보신 전쟁이네. 오, 로딩 끝났다."

"메이크 업 포? 메이크업? 변신하다라는 뜻이군요!"

"아코. 그건 『보충하다』나 『보상하다』라는 뜻이야."

"달을 대신해서 벌해주는 게[#2] 아닌가요?!"

"그건 make up이 아니라 makeup! 만약 make up이라고 해도 의미는 굉장히 다양하니까!"

"영문을 모르겠어요! 뭐가 다른 건가요!"

"개체군에서, 개체수의 밀도가 높아지면 밀도 효과가…… 크. 아아, 진짜. 읽다가 벽에 부딪혔잖아! 귀찮네!"

"또 3초, 타임을 줄였어. 넘버 원도 가까워."

보시는 대로, 각자 노력하고 있습니다(떨리는 목소리).

"—다들 뭐 하고 있는 거니? 부장 세가와, 대답하렴."

아아, 공부 모임이라고 들어서 기뻐하며 온 선생님이 마침내 자리에서 일어났다!

"오늘은 부 활동을 쉬기로 해서 모두 함께 공부하고 있는데…… 안 돼?"

"그건 들었어! 이해도는 몰라도, 제대로 공부하고 있는 타마키와 아키야마는 넘어갈게. 두 사람은 그대로 공부하렴."

"네에."

"네~에."

아코와 아키야마는 영어 숙어집과의 싸움으로 돌아갔다.

"니시무라와 세가와는 뭘 하는 거니?"

"보는 대로, 공부인데?"

#2 달을 대신하여 벌해주겠어 만화 [미소녀 전사 세일러 문]에 등장하는 주인공의 변신 중 대사. 또한, 주인공이 변신할 때 외치는 구호가 "메이크업"이다.

"그럼요, 그럼요. 공부하는 사이에 잠깐 주회는 돌고 있지만."

"그렇지? 잠깐 주회를 돌고 있긴 하지만?"

"그 주회의 부분을 묻고 있는 거다냐아아아아아!"

선생님은 냐아! 하고, 아슬아슬하게 부실 바깥에는 들리지 않는 음량으로 외쳤다.

이상한 부분에서 숙달되셨네요.

"주회 부분이라고 하셔도…… 어쩔 수 없잖아요. 오늘부터 주회퀘가 복각했으니까."

"오늘하고 내일 이틀밖에 없으니까 시간을 낭비할 여유는 없지."

"주회퀘를 달리는 것만큼 시간 낭비는 없다냐아아아아!"

선생님은 머리를 감싸 쥐며 말했다.

"모든 퀘스트 참가 보수인 이어링을 갖고 싶다. 그건 알겠어! 그러니까 참가하는 건 좋지만, 공략 보수까지 노리지 않아도 되잖니!"

무슨 말씀을!

주회퀘는 달성 보수도 짭짤하다고요!

"대인 공격력이 10퍼센트 오르는 사기 액세서리, 머더의 반지! 필요한 게 당연하잖아요!"

"맞아! 내 메인 액세서리가 될 수도 있다고?!"

"마스터도 부실에는 오지 않았지만, 계속 달리고 있는데요?"

"그 아이는 대체 뭐냐 말이다냐아아아아아아!"

어쩔 수 없잖아. 이렇게 엄청 강한 장비를 마스터가 얻으려 하지 않을 리가 없다고.

아니, 근데 정말로 사기 장비만 추가되고 있는데 괜찮나?

인플레 방향으로 나아갈 생각인지 아주 약간 불안감이 있는데.

우리에게 반성의 기색이 없다는 걸 본 선생님은 마지막으로 남은 한 명에게 고개를 돌렸다.

"무엇보다도 후타바! 너는 뭘 하는 거니!"

"네? 퀘스트요."

"공부한다는 구실도 없어?!"

"1학년이라서요."

"정기고사가 있다는 건 변함없잖니!"

선생님은 이마에 손을 대고 씁쓸한 목소리로 말했다.

"후타바. 부에서 제일 성적이 안 좋으니까, 열심히 해야지."

"……뭐, 라고?"

"어, 그 말은 아코보다도?"

놀라서 주회를 중단한 나와 세가와에게 선생님이 조용히 말했다.

"맞아. 타마키의 성적이 올라가고, 상대적으로 후타바가 떨어졌어."

성실하고 똑똑해 보이는 외모인 것치고는 성적이 안 좋다는 걸 알고는 있었지만, 아무리 그래도 아코보다 안 좋다니.

"그런 거야? 후타바……?"

"브이."

거기서 V 사인은 확실히 잘못됐거든?

"으음, 성적이 별로라고 듣긴 했지만 의외네. 미캉은 시험에서도 지지 싫지 않다면서 공부할 줄 알았는데."

"외모만 보고, 성적 좋아 보인다고, 들어서. 별로인 편이 기분 좋은 점이, 있어요."

"그런 이유로 공부를 포기하지 말라고!"

후타바도 후타바대로 성가신 성격이라니까.

"미캉은 저와 동류였네요!"

"동료 동료!"

아코가 숙어짐에서 시선을 들고 기뻐하며 말했다.

"저와 미캉으로 성적 못난 우먼 동맹을 결성하죠."

"싫지는 않아요."

"눈을 떠, 너의 성적이 누군가에게 침략당하고 있어!"

누군가라고 해봤자 본인의 태만이지만.

"공부할 생각이 없는 저와, 장래 주부가 될 테니까 공부하지 않는다는 타마키 선배의 동맹. 공부하라는 사회의 압력에는 굴하지 않아요."

"저, 저는 일단 대학에는 가려고 생각하는데요!"

"그래도 마지막에는 주부가 되겠죠."

"그건 그렇지만요!"

"거기, 인정하면 안 되잖아!"

자신이 생각하는 것 말고도 다른 직업은 있으니까! 대학에서 그걸 찾자고, 그럼!

"애초에 결혼한다고 말하지 않았어. 아직 나중 이야기니까."

"…………선배."

말로 도피를 시도한 나를 빤히 바라본 뒤, 후타바가 차갑게 말했다.

"헛된 저항은 하지 말고, 각오를 다져야 할 때."

"흐그읍!"

일도양단하는 건 그만둬!

"어째서, 어째서 그런 심한 소리를 하는 거냐, 후타바!"

"미캉은 제 동료 악마니까요."

"못난 우먼 동맹."

"성적은 동료지만…… 아니, 잠깐만?"

아코의, 동료, 악마라는 발언에, 뭔가 무시무시한 분위기가 있었다.

설마 후타바, 너—.

"나를 배신하고, 아코의 파벌에 붙은 거냐?!"

"이그젝틀리."

"바로 그거예요!"

거짓말이지?! 어째서 아코 쪽에!

"어째서냐, 후타바! 어째서 배신한 거냐! 우리는 좋은 선

후배였잖아!"

"온두루어[#3] 할 여유도 없을 정도라면 상당히 놀랐네, 니시무라."

"개그 소재를 넣을 때가 아니라고!"

절실한 문제라니까!

"후타바가 아코 편이 된 이유를 전혀 모르겠어! 어째서야!"

"자기답게, 하고 싶은 일을 하며 살아야 한다."

"그렇게 이야기했더니 납득해줬어요."

"아아, 젠장. 후타바는 프리덤 주의자였지!"

자신을 속이면서 그럴싸한 페르소나를 쓰고, 사회에 아첨하는 건 힘들다. 그런 부분을 좋지 않은 형태로 공감하고 있어!

"크윽…… 뭐, 뭐어, 됐어. 후타바는 이 부내에서도 최약!"

"누가 최약, 인가요."

"시끄러워, 최초의 탈락자 녀석!"

첫 번째가 바로 함락되어서 불길한 예감을 느끼기도 하지만, 그래도 괜찮다.

"우리는 아직 싸울 수 있어!"

"완전히 패배 플래그에요, 루시안."

"됐으니까 공부하라냐아아아!"

#3 온두루어 TV드라마 [가면라이더 블레이드]에서 주인공의 대사인 "타치바나 씨! 정말로 배신한 겁니까(혼또니 우라깃탄데스카)!"가 "온두루루라깃탄디스카!"으로 들리는 등, 시리즈 동안 발음 뭉개짐 현상이 인기를 얻어 "온두루어"로 불리게 되었다.

■2월 7일 목요일

복각 퀘스트 러시, 리턴 오브 레전더리 에이지가 절찬 개최 중.

어제에 이어서 오늘도 주회 퀘스트의 연속. 저녁에 집계를 하기에 이제 남은 시간이 없다.

"후타바! 앞으로 몇 바퀴야?"

"앞으로 10. 무리, 일지도."

곤란하게도, 이번에는 개인전.

열심히 하고는 있지만, 역시 장비가 뒤떨어지는 후타바가 고전을 강요받고 있었다.

레벨로는 그렇게 차이가 없지만, 특화 장비가 없어서 타임 어택을 하면 속도가 느리다.

집 컴퓨터가 가족 공용이라 계속 붙잡고 있을 수도 없다는 것도 난제다. 그래서 드문드문 우리 집에 오고는 있지만.

"이대로 가면 늦어요……."

"괜찮아. 걱정하지 마!"

하지만 후타바는 혼자가 아니다!

"일단 이동속도 부스트다! 팔콘 망토를 가지고 있으니까, 탈출 지점에서 건네줄게!"

"창고에 모아둔 아처 장비를 몇 개 빌려주마. 보스 타임이 단축된다면 종합 시간이 크게 줄어들 거다."

"매번 버프를 다시 걸어줄 테니까, 입구에서 일단 멈춰 주세요!"

"선배…… 부왁!"

부왁이라고 입으로 말하지 마!

"이럴 때, 버프가 없는 우리는 쓸모가 없네."

"무땅한테 통하는 버프는 있지만~."

도움이 안 되는 두 사람은 응원이라도 해주세요.

"앞으로 3분!"

"이제 보스뿐, 가능할지도."

후타바와 보스의 싸움이 시작됐다.

주회에서 몇 번이고 몇 번이고 몇 번이고 몇 번이고 싸워서 그런지, 적의 공격을 아슬아슬하게 피하면서 화살을 퍼붓고 있다. 이야~, 능숙해졌네.

그리고 돌격해온 보스가 후타바의 눈앞에서 덫에 다리를 붙들리고, 다수의 폭발에 휘말렸다.

폭연에 사라진 보스를 바라본 후타바는 시니컬하게 웃었다.

"미션 컴플리트."

"역시 함정은 세네."

이런 설치형 범위 스킬이나 군중제어계 스킬이 부족한 길드였으니까, 후타바의 육성으로 전략이 늘어난 것 같다.

"그렇게 의기양양할 때가 아니야! 보고할 때까지가 퀘스트니까!"

“그랬었네요. 돼지 선배, 나이스.”

황급히 NPC에게 보고하고, 이걸로 전원이 주회 종료.

“수고하셨어요!”

—아코 말고는. 아코는 어제도 거의 주회를 돌지 않았다.

“아코는 참가 보수만 받아도 괜찮아? 머더의 반지는?”

“대미지가 늘어나는 액세서리잖아요? 사람과 싸울 예정은 없으니까요.”

“그야 나도 그렇지만.”

그래도 인간 속성 몬스터 같은 것도 있으니까…… 아니, 힐러에게는 상관없나.

나도 딱히 필요 없었을지도. 그런 생각이 든다.

“사람과 싸울 예정이 없다……?! 선배, 아직 못 들었나요?”

후타바가 나와 아코를 교대로 보면서 의아한 듯이 말했다.

“못 들었냐니, 뭘?”

“이달 말, 서버 최강 결정전을 한다고, 사부가.”

“진짜로?! 그런 게 있었어?!”

“공식 사이트의 이벤트 일람에는 없었는데?”

아키야마가 화면을 손가락으로 쓸면서 말했다.

그렇다면.

“포럼의 유저 이벤트 쪽에…… 우와, 진짜로 있잖아.”

“주최는 TMW, 문벌귀족, 발렌슈타인도 들어있네.”

“진지하게 하는 건가~.”

공성전과는 또 다른, 완전한 개인전으로 서버 최강을 정하는 싸움인 것 같다.

그야 보수인 반지는 필요한가.

"이건 나의 슈바인 님도 나가지 않을 수 없네."

"나도 잠깐 나가볼까?"

"좀이 쑤셔요."

"힘내라~, 관객석에서 응원할게."

커다란 이벤트가 될 것 같다.

그 이벤트가 기말고사 뒤라는 게, 지금의 내게는 절망적이지만.

"헉! 이 싸움에서 이기면 결혼해주세요, 같은 건 어떤가요?!"

"아코가 이길 리가 없다고 생각하지만, 거절합니다."

시합장에서 싸우는 아코의 모습을 상상하자, 그건 좀 아닌 것 같아서 바로 지워버렸다.

아니아니, 아코가 나갈 리가 없고. 이겨도 결혼하지는 않을 테니까!

■2월 8일 금요일

오늘도 부 활동 시간.

평소였다면 떠들썩하고 즐거운 현대통신전자 유희부실이

지만, 오늘은 좀 다르다.

“자~, 그럼! 주회는 끝났고, 다음은 어쩔까?”

“사람이 적으니까, 그리 굉장한 일은 못 하겠네요.”

“다들 없으니까.”

“우리 네 명뿐인가~.”

오늘도 시험인 마스터는 물론이고, 시험 전이라 바쁘다는 선생님에, 조리부에 간 후타바도 없어서 세가와, 아코, 아키야마와 나까지 네 명밖에 없다.

말은 이래도, 나와 아코만 있다면 파티로 움직일 수 있으니까 뭐든 가능하지만…….

“딱히 할 일이 없단 말이지. 다음 복각까지 할 수 있는 거, 레이드 보스 정도잖아.”

“지금은 어떤 보스가 돌아왔나요?”

“뭐야 아코, 몰랐어? 그럼 가르쳐줄게!”

아코가 고개를 갸웃하자, 세가와가 그 자리에서 일어나며 말했다.

“전에 추가됐다가 그 난이도 탓에 우리는 도전도 하지 못했던 최강 클래스의 보스, 완전체 고아보로스! 그 강화판! 이름하여, 초 우정 파괴 레이드! 절(絕)·궁극완전체 고아보로스야!”

“절대로 못 이길 녀석이네요.”

“이건 너무하네.”

"궁극완전체라니, 완전궁극체면 안 돼?"

"아마 어느 쪽이든 상관없어."

완전이든 궁극이든 이름만으로도 못 이긴다는 걸 알 수 있는, 그런 보스였다.

"뭘 하든 간에, 일단 로그인할까."

목적 없이 게임에 로그인한, 그 순간.

내 화면에 메시지가 딩동, 하고 당도했다.

◆바츠 : 고아보로스한테 가서 동료끼리 싸우자고~.

권유하는 법이 너무 대충 아냐?!

집합 장소에는 예전에 레이드에 참전했을 때와 마찬가지로 TMW의 잉여 요원+발렌슈타인의 드림팀이 기다리고 있었다.

또냐. 또 파티가 붕괴해서 추가 멤버로 불려온 거냐.

◆아코 : 어, 어째서 또 이 파티로 가려고 하는 걸까요?

◆슈바인 : 초 우정 파괴 레이드에 갈 필요도 없이, 싸움밖에 안 할 멤버잖아.

아코와 슈가 말하자, 검은 마술사 씨가 진저리가 난다는 표정을 지었다.

◆†검은 마술사† : 월말에 개최가 예정된 서버 최강 결정전은 발렌슈타인도 포함해서 많은 길드의 공동 개최거든. 그 전에 조금은 관계 개선을 할 수 없나 해서 말이지.

◆루시안 : 관계 개선을 위해 우정 파괴 레이드를 가는 게 이상하다고!

◆바츠 : 오, 나는 선전 포고라고 받아들였다고.

바츠가 씨익 웃으며 말했다.

아아, 이미 성대하게 충돌해서 멤버가 도망쳤구나.

◆†검은 마술사† : 하지만, 처음에는 잘 돌아갔잖아. 바츠 일행의 폭언이 없었다면 좋은 분위기로 클리어를 노릴 수 있었을 거야. 조금 더 고정팟을 짜는 노력이라는 걸 해줬으면 하는데.

◆바츠 : 실수하니까 평범하게 말했을 뿐이잖아. 주의를 주니까 오히려 화를 내다니, 그 녀석들은 고정팟을 유지하려는 노력이 부족하다고.

◆코로 : 전원 앞에서 리더가 싸움을 시작하는 이 고정팟.

고정팟을 짜려는 노력을 게을리하고 있고, 유지하려는 노력도 게을리하고 있어!

애초에 구체적으로, 바츠 일행에게 그런 걸 기대하는 게 잘못됐다고!

◆세테 : 그래서 어떤 적인데? 커맨더 필요해?

◆바츠 : 기믹은 이것저것 섞여 있긴 한데. 일단 제1페이즈 공략을 노릴까.

◆†검은 마술사† : 먼저 전원 플레이어로 두고, 죽는 걸 전제로 해보자.

죽는 게 전제라는 그 채팅은 뭐, 쓰러뜨리는 것까지 가는 게 힘들다는 이야기인 줄 알았다.

유감이지만 완전히 빗나갔다.

우리는 개시 30초 만에 이렇게 되었다.

◆†검은 마술사† : 라이트 레이저, 오른쪽이 폭발한다!

◆디 : 이예~이, 왼쪽으로 회피~.

◆루시안 : 유체 모드일 때는 그냥 구체잖아! 오른쪽인지 왼쪽인지 어떻게 판단하라고?!

◆바츠 : 사용하는 기술에 따라 방향이 바뀐다고! 어떤 순서로 공격하고, 방향이 어떻게 되고 있는지 항상 확인해둬!

◆아코 : 기억할 수 없어요~!

◆슈바인 : 끄아아아아아아아악!!

◆바츠 : 마커가 붙은 녀석에게 순서대로 몸통박치기를 날린다! 화면 끝과 끝으로 대각선을 만들어!

◆코로 : 사선상에 있으면 즉사. 순서를 지켜서 줄을 서.

◆†검은 마술사† : 기본적으로 캐릭터 성별을 교대로 노리니까 기억해두라고.

◆아코 : 남녀남녀 교대로 줄을 서야 하는 건가요?!

◆세테 : 이거, 매스게임이야?!

◆†검은 마술사† : 이건 알기 쉬워. 바깥쪽에서 색상 붙은 구슬이 떠오르고, 색에 맞춰서 지면이 폭발해. 타이밍을 계산해서 이동하는 거야.

◆슈바인 : 리듬 게임이냐고…….

◆바츠 : 마지막은 광범위 대 대미지가 3연속으로 오니까, 그때까지 콤보 모아두라고.

◆아코 : 리듬 게임을 하는 사이사이에 힐을 집어넣어야 하는 건가요?!

◆루시안 : 뭐야 이 회오리의 바다?! 어떻게 피하라고?!

◆†검은 마술사† : 화면의 1할을 메우는 즉사 회오리가 8인을 타깃으로 발생해.

◆코로 : 오차 없이 지정된 위치에 서지 않으면 회오리가 합체해서 연쇄적으로 괴멸이네.

◆아코 : 무리이이이이! 위치를 기억할 수 없다고요오오오오!

◆루시안 : 이야아, 죽었다 죽었어.

◆세테 : 이길 요소가 있는 걸까아.

◆슈바인 : 최대 5%밖에 못 깎았다고.

◆아코 : 미니 게임집 같았네요오.

초 우정 파괴 레이드라고 들었는데, 너무나도 명백하게 무리라서 다들 웃음이 나오고 있는지라 전혀 우정이 망가지지 않았다.

◆세테 : 이, 이거 정말로 클리어할 수 있어?

◆바츠 : 클리어 영상은 이미 올라왔어.

◆†검은 마술사† : 운영진 코멘트가 붙었는데, 『이번 레이드 보스는 운영팀도 아직 클리어하지 못했다. 자네들은 틀림없이, 세계 최초의 클리어 파티다!』라더라.

◆슈바인 : 이 운영진, 바보 아냐?

정말이라니까! 적어도 클리어할 수 있는지 확인하고 나서 추가하라고!

이거 못 깨는 게 당연하잖아. 고난이도인 것도 정도가 있지.

◆루시안 : 오히려 바츠, 이렇게 어려운데 실수한 동료에게 불평했던 거냐…….

그야 혼난 쪽도 「무리인 게 당연하잖아!」라며 나올 법한데.

그렇게 생각한 내게, 바츠가 눈을 번뜩 빛냈다.

◆바츠 : 아앙? 말 한번 잘했네, 루시안. 나를 디스할 수 있는 입장이냐?

◆루시안 : 디스하는 건 아니지만! 좀 어떤가 싶기는 하잖아!

조금 더 다정하게 대해주는 게 어때? 라고 내가 조심조심 말하자, 바츠는 대문자 채팅으로 말했다.

◆바츠 : 핫ㅋ 여자한테 프러포즈를 받아놓고 도망이나 치는 루시안보다는 낫지ㅋㅋㅋ

◆루시안 : 뭐어?!

지금 뭐라 그랬어?! 파티 멤버들 앞에서 뭐라 그랬냐고?!

어째서 바츠가 알고 있는 거야?! 현실과는 전혀 상관없잖아!

◆디 : 뭐야 그거ㅋㅋㅋ 진짜로?ㅋㅋㅋ

◆루시안 : 잠깐, 그거 어디서 나온 정보야?!

◆아코 : 저요.

◆루시안 : 너였냐아아아아아!

누군가 했더니만 본인 정보!

게임 안의 바깥 구덩이를 메우지 못했다는 걸 알아채서 정보를 유출한 건가!

◆†검은 마술사† : 그건 대체 무슨 상황이야?

◆아코 : 루시안한테 현실에서도 결혼하자고 부탁했는데, 아직 안 된다면서 거절했어요.

◆코로 : 역시 좀 웃긴데.

◆루시안 : 게임 안에서 그 이야기를 하는 거냐, 아코?! 제일 말해선 안 되는 녀석이잖아!

◆아코 : 동료 악마는 많은 편이 믿음직하니까요!

◆루시안 : 가차 없어!

이 녀석, 보스 공략보다 진지하게 나를 공략하고 있잖아!

◆바츠 : 그보다 길원이 부정하지 않는다는 건 진짜인가 보네ㅋ

◆세테 : 곤란하게도 진짜란 말이지.

◆슈바인 : 부정하지는 않지만…….

◆†검은 마술사† : 꽤 능력이 없네ㅋ

◆디 : 나 이상의 쓰레기 자식, 안뇽ㅋㅋㅋ

◆루시안 : 그만둬어어어어어어!

현실의 나이나 학생이라는 걸 이야기하지 않은 탓에, 아무것도 변명할 수 없어!

그리고 내가 쓰레기 자식이라는 건 스스로도 부정할 수 없다!

◆아코 : 그러니까 루시안! 여기서 오케이를 해주시면 전부 해결이라고요! 자, 저와 현실에서 결혼해주세요!

◆루시안 : 안 돼! 거절하겠어!

모두의 앞에서 압력을 걸어도 안 되니까!

머리 위에 가위표를 표시한 나를 보자, 아코가 주변에 고개를 돌렸다.

◆아코 : 으으으으으! 누가 좀! 루시안의 공략법, 가르쳐주세요!

◆바츠 : 기정사실이지. 도망칠 수 없게 하라고.

◆†검은 마술사† : 정에 호소한다는 건 어떨까?

◆루시안 : 레이드팟으로 나를 공략하려는 건 그만둬!

내 공략법을 생각하는 사이, 시간이 지나서 레이드팟은 무사히 해산했다.

파티 전원이 말려든, 그런 엉망진창인 프러포즈가 어디 있어어어어!

■2월 9일 토요일

오늘은 복각 이벤트, 유저 하우스 습격 이벤트가 진행된다.

그러나 곤란하게도, 우리 니시무라 가는 대농원을 보유하고 있습니다. 앨리 캣츠만으로 방어하는 건 절대로 무리.

이벤트 후에 자동 수복되니까 일단 참가는 하지만— 이대로 가면 집이 부서지는 광경을 모두가 보게 될 거다.

그래서, 모두 함께 다른 집 방어에 참가하기로 했다.

◆†클라우드† : 여기에 모인, 고양이공주 씨를 사랑하는 강자들이여!

◆†클라우드† : 우리 고양이공주 씨의 거성, 고양이공주성에 적이 쳐들어오고 있다!

◆†클라우드† : 다들 다른 길드로 돌아갔더라도, 그건 접어두고!

◆†클라우드† : 저 사랑스러운 고양이 깃발이 떨어지는 것을, 너희들은 용납할 수 있는가!

◆루시안 : 용납할 수 없다~!

◆이가스 : 용납할 수 없어요.

◆카보땅 : 용납하지 마라~!

◆세테 : 오~!

◆고양이공주 : ……뭐, 다른 사람에게 민폐를 끼치지만 않

으면 되긴 하는데냐…….

구 고양이공주 친위대의 거성, 고양이공주 성.

무슨 일이 있으면 모이는 무서운 사람들의 성이며, 유저 이벤트에서 무료로 빌려주는 편리한 성으로 유명한 이 장소.

고양이공주 성은 수도 거주 구획의 랜드마크 중 하나가 되었다.

습격 이벤트에서 이곳이 붕괴하여 고양이공주 씨의 깃발이 땅에 떨어지는 것을 용납할 수 없는 구 멤버, 그리고 놀러 온 이들이 모여서 대방어대로서 지키게 된 거다.

◆루시안 : 커다란 성의 방어전이라니, 그야말로 게임의 왕도네.

◆아코 : 중반의 고비라는 느낌이네요!

일반적인 RPG에서도 성을 지키는 싸움은 꽤 끓어오르는 장면이다.

그걸 모두 함께 도전하는 것이기도 한지라, 우리도 방어전 멤버들도 크게 기뻐하며 집합했습니다.

◆†클라우드† : 우리의 손으로, 반드시 이 성을 지킨다!

◆유윤 : 심장을 바쳐라!

오~, 하고 달아오르는 친위대, 아니 방어대.

주말의 떠들썩한 이벤트라 그런지, 의욕은 충분한 모습이다.

◆아코 : 모두 기합이 굉장하네요.

◆슈바인 : 아마 저번 습격 이벤트를 보고 온 자들이겠지.

◆애플리코트 : 얼굴이 다르군.

◆세테 : 다들 보고 온 게 아닐까?

◆루시안 : 저번에도 이 성을 지켰으니까.

그런 이야기를 하는 와중, 바로 개시 시간이 찾아왔다.

◆애플리코트 : 자, 시간이 됐다! 방어 개시!

◆슈바인 : 자~, 그럼. 얼마나 올까.

◆루시안 : 성이 꽤 크니까, 적도 많을 텐데…….

◆아코 : 아, 나왔어요! 엄청 많아요!

정말이다. 성 주변에 적이 우르르 나왔다.

우르르…… 우르르……라고 해도……, 이건 너무 지나친 거 아닌가?

화면이 처리할 수 있는 수를 뛰어넘을 정도의 적이 왕창 몰려오고 있는데.

◆카보땅 : 잠깐, 많지 않아?!

◆슈바인 : 터무니없는 숫자구만.

◆아코 : 아무리 그래도 이걸 지키는 건 무리라고 생각해요!

◆고양이공주 : 포기하면 안 된다냐! 트랩도, 방어 병기도 있다냐!

이러니저러니 해도, 자기 성이 부서지는 건 싫은가 보다.

고양이공주 씨가 솔선해서 지휘를 시작했다.

◆고양이공주 : DEX가 높은 사람, 발리스타에 붙으라냐.

◆미캉 : 아이 아이, 에요.

◆고양이공주 : 문에 딜을 집중하라냐! 함정과 합쳐서 가장 자리에서 막아내는 거다냐!

우리보다 멤버가 풍부해서 그런지, 다양한 종류의 함정이 설치된 고양이공주 성의 뜰.

게다가 출현한 적에 맞춰서 속성을 바꾸니까, 광범위 마법을 필두로 범위공격이 쏟아진다. 상당한 화력이라 적이 점점 녹아내렸다.

……이럴 때, 탱커는 편하네.

◆고양이공주 : 그 상태다냐! 제대로 막으라냐!

◆애플리코트 : 아직 1웨이브다, 방심하지 마라!

저번에는 며칠에 걸친 이벤트였지만, 이번에는 단시간에 쏟아부을 거다.

그렇다면 규모가 점점 커지겠지.

◆†클라우드† : 금방 온다. 기합을 넣어라!

◆이가스 : 몬스터 증원, 더 옵니다.

다음에 온 몬스터는…… 어어…… 으응?

◆루시안 : 내가 모르는 몬스터뿐인데.

◆슈바인 : 그러네. 이 몸도 본 적이 없어.

◆세테 : 애초에 그래픽이 다르지 않아?

그렇다. 지금까지 나온 몬스터와는 그래픽 종류가 전혀 달랐다.

레전더리 에이지는 기본적으로 캐주얼 게임이고, 몬스터

는 모두 팬시하고 귀여운 디자인이다.

그런데 이놈들은 상당한 리얼한데다, 데포르메 요소는 눈곱만큼도 없다. 시리어스한 서양 게임에나 나올 법한 진짜 크리처다.

긴 갈고리 손톱을 장비한 인간형 적은 무척이나 리얼한 근육이 그려져 있고, 갑옷을 걸친 해골 병사는 뼈 하나하나까지 확실하게 만들어져있다.

게다가 2D 게임인 레전더리 에이지에 맞춰서 3D 그래픽의 일부를 잘라내서 움직이는 듯한, 꽤 무리가 있는 움직임을 보이고 있다.

이런 위화감 덩어리가 게임에 있었다면 분명 알고 있었을 것이다.

◆애플리코트 : 나는 이 몬스터를 안다!

◆고양이공주 : 알고 있는 건가냐, 애플리코트?!

◆애플리코트 : 이놈들은 이 세계의 적이 아니야! LA와 같은 운영회사가 서비스하는 다른 게임, 제네시스 제로에 등장하는 적들이다!

◆루시안 : 다른 게임의 적?!

◆아코 : 그런 게 말이 되나요?!

그야 본 적이 없을 만하지!

왜 다른 게임의 적을 수입해온 거야!

◆디 : 전챗 여러분~, 제네제로의 적이 왔어ㅋㅋㅋ

◆무라라 무라 : 너희 화풍 좀 다르지 않아?

◆자이몬 : 그래픽이 전혀 안 맞아서 붕 뜨잖아ㅋ

◆월요일의 사자 : 2D 세계에 3D의 적이 왔다!

◆오이와이 : 2차원 세계가 침략당하고 있어!

◆명란 불릿 : 쓸데없는 콜라보 기획 그만둬ㅋ

아아, 영문 모를 사태에 전챗이 웅성거리고 있잖아!

◆슈바인 : 다소 그래픽이 진화했다고 해도 잡몹은 잡몹이지. 이 몸의 적이 아니야!

◆루시안 : 잠깐, 슈?!

그 녀석들, 외모로 봐서는 잡몹이 아닌 것 같다고! 대책 없이 돌진하는 건 위험해!

◆애플리코트 : 기다려라, 슈바인! 내 지식으로는, 녀석들은!

◆슈바인 : 으랴아아아아아압!

◆애플리코트 : 물리 반사 속성이다!

◆슈바인 : 끄오오오오오!

◆루시안 : 슈바이~인!

◆아코 : 슈~!

◆미캉 : 맛있는 돼지 씨를 잃었음.

◆세테 : 적어도 『맛있는』이 아니라 『아까운』이라고 해주자.

딜은 강해도 방어력이 약해빠진 슈가 반사당한 램페를 맞고 멋지게 산화했다.

젠장. 그렇다면 물리 공격은 빼고 어떻게든 해야지!

◆루시안 : 나도 앞으로 나가겠어! 벽 대신은 할 수 있겠지! 마스터, 이 녀석들의 약점은?!

◆애플리코트 : 광속성이다!

빛이네. 알겠……?

광속성? 성속성이 아니라?

◆루시안 : 그런 속성이 이 게임에 있었던가?

◆애플리코트 : 음, 존재하지 않지.

◆†클라우드† : 웃기지 말라고. 그런 걸 이길 수 있겠냐!

◆카보땅 : 아냐, 이놈들 성속성이 통해! 그쪽은 대충대충 넘어가고 있어!

정말 대충 만든 설정!

그러나 물리가 통하지 않는 건 버겁다. 함정 대다수가 통하지 않고, 미캉의 발리스타도 닿지 않는다.

거기에, 평범하게 숫자도 많아!

◆이가스 : 이건 안 되겠네요. 못 지키겠어요.

◆카보땅 : 못 보던 몬스터가 무척이나 강한 건에 대해서.

◆루시안 : 다른 게임의 적을 끄집어내고, 게다가 강하다니 어떻게 된 거야!

◆†클라우드† : 이렇게 되면 최종수단이다! 상공에 연락!

클라우드 씨가 어딘가에 신호를 보낸 직후.

하늘에 커다란 그림자가 드리워졌다.

◆고양이공주 : 하늘을 보라냐! 저건 뭔가냐?

◆미캉 : 새?

◆루시안 : 비행선인가!

◆†클라우드† : 아니…… 퀸 고양이공주 호다!

◆루시안 : 그럼 비행선이잖아?! 왜 아니라고 부정한 거야?!

◆아코 : 대장! 하늘에서 비행선이!

◆세테 : 그냥 떨어지고 있을 뿐이야!!

◆유윤 : 우오오오오!

안 보여서 없다고 생각했던 유윤이, 퀸 고양이공주 호를 조종하며 상공에 대기하고 있었던 모양이다.

과연, 저 배로 돌격해서 한꺼번에 쓸어버리는 작전인가!

◆애플리코트 : 그야말로 En Taro Adun인가.

◆아코 : 슬프지만, 이게 전쟁이지요.

◆유윤 : 먹어라아아아아아! 지크 고양이공주우우우우우우우우!

◆고양이공주 : 고양이공주 씨의 이름을 외치면서 돌격하는 건 그만두라냐아아아아아!

커다란 음향과 함께 퀸 고양이공주 호가 적 한가운데에 추락했다.

지면에 추락한다는 일격 굉침 판정으로 그 자리에서 터져버렸다.

그리고 대형선의 직격 대미지가 적의 머리 위에 표시되었다.

놀랍게도 대미지 수치는,

0.

0.

0.

◆루시안 : ……어라? 노 대미지?

◆카보땅 : 풉ㅋㅋㅋ

◆애플리코트, : 그렇게나 화려하게 떨어져 놓고 노 대미지라니.

◆슈바인 : 그야 그렇지ㅋ 비행선의 추락으로 대미지 판정이 생기면, 모두 필드 보스 위에 떨어뜨릴 거 아냐ㅋㅋㅋ

그렇군. 그런 종말 세계가 되지는 않았으니까, 헛수고였던 건가.

◆†클라우드† : 이봐, 잠깐! 습격은 이벤트니까 성은 자동으로 고쳐지지만! 퀸 고양이공주 호의 수리비는 우리가 내야 한다고?!

◆세테 : 그보다도, 성문이 부서졌는데?

◆미캉 : 이제 무리.

문이 파괴되어 적이 성 안으로 몰려왔다.

적의 숫자가 너무 많아 순식간에 크리스털이 파괴되었다.

고양이공주 성은 고고고고고 소리를 내며 무너져갔다.

◆고양이공주 : 냐아아아아! 고양이공주 씨의 성이이이이이이이!

◆유윤 : 바루스ㅋㅋㅋ

◆†클라우드† : 굉장해, 완전히 무너졌잖아.

◆세테 : 스샷 찍어야지~.

◆이가스 : 동영상 녹화하고 있어요.

◆미캉 : 갖고 싶음.

◆고양이공주 : 그렇게나 지키겠다고 끓어오르고 있었는데, 어째서인가냐아아아아!

자자, 성은 고쳐지니까 그렇게 울지 마세요.

무너진 성을 모두가 지켜보고 있는데, 문득 그 잔해 속에서 부서지지 않고 남아있던 커다란 건조물이 보였다.

◆고양이공주 : 냐? 뭔가 남은 것 아닌가냐?

◆루시안 : 성도 붕괴할 정도의 대미지를 견디다니, 뭐야 저거.

◆애플리코트 : ……모놀리스, 인가?

성이 완전히 무너지고, 그곳에 남아있던 건 커다란 네모 형태의, 새까만 물체였다.

과연, 모놀리스라고 불리는 적이나 기믹과 닮았다.

◆고양이공주 : 고양이공주 씨의 성에 이런 게 세워져 있었던가냐?

◆루시안 : 성주도 모르는 건가요?

뭔가 이벤트인가? 그렇게 다가가 보자, 커다란 문자가 새겨진 게 보였다.

그 내용은 아래와 같았다.

▶고양이공주 씨의 성과는 다른, 절대로 무너지지 않을 사랑을 맹세할게요! 저와 결혼해주세요!◀

◆루시안 : 우와아………….

내가 기겁하자, 아코는 활짝 웃으며 말했다.

◆아코 : 역시 내구도 최대의 가구, 모놀리스의 석판이네요! 마지막까지 남아줬어요!

아코는 「자!」 하고 모놀리스를 가리키며 말했다.

◆아코 : 저와 영원한 사랑을 맹세하죠, 루시안!

◆루시안 : …….

대답하기 전에, 고양이공주 씨 쪽에 시선을 돌렸다.

◆고양이공주 : 냐.

내 시선을 받은 고양이공주 씨는 무표정하게 끄덕였다.

◆고양이공주 : 엑스트라 대미지다냐!

◆루시안 : 오버드 실드으으으으으으!

◆아코 : 어째서인가요오오오오오?!

고양이공주 씨의 엑스댐에 맞춰서 내 오버실이 작렬하자, 내구도 한계를 맞이한 모놀리스의 석판이 멋지게 붕괴했다.

◆아코 : 아아아아아앗! 비쌌던 모놀리스의 석판이! 너무해요!

◆루시안 : 너무한 건 아코잖아! 성이 무너지는 걸 전제로 한 프러포즈라니 대체 뭐야!

◆아코 : 일부러 부서진 성 앞에 놔서, 부서지지 않는 사랑을 맹세한 거예요!

◆고양이공주 : 남의 성을 희생시켜서 프러포즈하지 말라냐!

◆아코 : ……그럼, 대답은?

◆루시안 : 결혼은 안 합니다!

◆아코 : 에에엑!

또한, 모놀리스의 석판을 설치한 주범은 성을 관리하는 클라우드 씨였다고 한다.

벌써 구 고양이공주 친위대조차 동료 악마로 끌어들였어……!

■2월 10일 일요일

레전더리 에이지에서는 리턴 오브 레전더리 에이지가 절찬 개최 중.

주말에는 연일 복각 이벤트가 쏟아지고 있다.

오늘 이벤트는 복각, 육성 강화 주간. 주간인데, 어째서인지 하루 만이다.

주간(주간이라고는 하지 않았다)이다.

어째서 하루 한정인지는 예고 시점에서는 의미를 알 수 없었다.

그러나 실제로 참가해 보니, 그 이유를 잘 알게 되었다.

◆안내요원 : 이 맵 안에서만 스테이터스 리셋이 자유롭게 가능합니다.

◆안내요원 : 또한, 일부 유니크 아이템을 제외한 모든 아이템을 무료로 판매합니다.

◆안내요원 : 아이템은 맵에서 퇴장할 때 전부 반납되고, 스테이터스는 입장 시점 수치로 돌아가니 주의해주세요.

NPC의 설명을 들어도 대체 무슨 소리인지 이해할 수 없었다.

즉, 이런 거야? 이 맵이라면 어떤 스테이터스든 어떤 장비든 마음껏 시험할 수 있다고?

어, 그래도 괜찮은 거야?! 그야 이러면 이틀이고 사흘이고 개최할 수 없겠지!

◆슈바인 : 이거 굉장하지 않아? 뭐든 시험해도 된다며?!

◆애플리코트 : 마치 에뮬레이션 서버 같군…….

◆세테 : 인생 재시작 존이다~! 굉장해~!

가~끔 리셋 티켓을 배포하기도 하지만, 기본적으로 리셋이 되지 않는 이 세계에서는 마치 천국과도 같은 맵이었다.

그런고로, 실제로 시험해봤는데.

◆애플리코트 : 으으으음. 영창이 빠른 건 좋지만 단발이 약한 건 마음에 들지 않는군. 장기전에는 나쁘지 않지만, 릴리스나 영창 시간을 벌 수 있는 자리에서는 단순히 불리한가?

◆슈바인 : 딜 굉장해! 내구력 허접해! 아무리 그래도 이렇게나 연약하면 꿀사납네. 내 슈바인 님이 즉사잖아.

◆세테 : 무땅 하렘이라 즐겁지만…… 늘어난 만큼 죽기 쉬워졌네. 조금 싫다~.

◆고양이공주 : 슉 찌르고 비튼다냐, 슉 찌르고 비튼다냐…… 으으음, 약하다냐…….

터무니없이 혼잡한 전투 필드에서, 각각 캐릭터를 실험.

나름대로 위력 있는 마법을 초연타하는 마스터, 일격에 쓰러뜨리고 일격에 죽는 슈, 펫 조교사처럼 되어버린 세테 씨, 소드 메이스로 물리 공격을 하는 고양이공주 씨.

이야아, 꽤 신선한 광경이네.

◆아코 : 루시안은 어떤가요? 강해졌나요?

◆루시안 : 딜을 올려봤는데…… 파티 플레이라면 자기 딜의 강약을 모르겠어. 그냥 내구가 줄어든 것만 잘 알겠네.

솔직히 말해서, 약해졌다는 기분밖에 안 든다.

◆아코 : 괴롭네요.

◆루시안 : 솔로라면 강하겠지만…… 역시 나는 순수 탱커가 취향일지도.

다른 모두도 원래 스테이터스가 더 와닿는 모양이고.

레벨 100까지 육성하는 과정에서 지금의 자신에게 익숙해졌으니까, 갑자기 변하면 마음이 진정되지 않는 거겠지.

◆루시안 : 나보다도 아코는 어떤데? 회복력이 올라갔잖아?

◆아코 : 힐이 하이 힐 정도로 회복되고 있는데 뭔가 버그 걸린 거 아닌가요?

◆루시안 : 그게 평범한 거야.

자기 레벨을 생각해봐. 보통은 레벨 70 정도의 회복력이라고.

◆슈바인 : 이거, 추가 보수는 스테이터스 리셋 티켓 같아.

◆애플리코트 : 소문으로만 존재했던 리셋 티켓, 설마 여기서 입수할 줄이야…….

◆루시안 : 어쩔래? 아코. 스테이터스 리셋할래? 잘 쓰면 체감적으로 버그 캐릭터가 될 수 있는데?

◆아코 : 아뇨.

왠지 언젠가 본 적이 있는, 부드러운 말투로 아코가 말했다.

◆아코 : 루시안이 좋아하게 된 제가 아니라면 의미가 없으니까, 이대로도 괜찮아요.

◆루시안 : 뭐, 그렇게 말할 줄 알았어.

아코가 강해지면 이쪽이 진정되지 않는다. 직접 말하기는 좀 실례지만.

◆루시안 : 나도 그 아코를 좋아하게 된 거니까.

◆아코 : 저도 있는 그대로의 루시안을 사랑해요! 결혼해 주세요!

◆루시안 : 안 돼 요!

약간이지만 회복력이 올라갔잖아!

향후의 개선에 기대하고 있으니까, 완전히 그대로 있지는 말았으면 좋겠다.

■2월 11일 월요일(대체휴일)

토요일이 경축일이어서, 대체휴일로 월요일이 휴일.

연휴는 근사하구나!

달력상으로는 휴일인 월요일이어서 그런지, 복각 이벤트는 강림 중인 보스뿐이다.

대신해서, 라는 건 아니지만.

오늘은 제도 로드스톤에서 어느 유저 이벤트가 개최된다.

◆†검은 마술사† : 영주 길드 마스터로서, 로드스톤 감사제의 개최를 선언한다!

◆마스터 번트 : 터무니없잖아. 기다렸다고.

◆못큐르 : (*'ω ' *)

◆매킨리 : 관세 제로 해냈다아아아!

한 번은 함락됐지만, 그 후의 공성전에서 어찌어찌 영주의 자리를 되찾은 TMW.

마스터인 검은 마술사 씨의 한마디와 함께 로드스톤 감사제가 시작됐다.

요컨대, 로드스톤 전역에서 여러 유저 이벤트가 열리는

행사다.

지금까지 없었을 정도의 대규모 이벤트라서, 저번 공성전의 결과가 어찌 됐든 개최하기로 했던 모양이다. TMW와 문벌귀족, 그야말로 공동 개최다.

◆엘피 : 이벤트 스케줄은 포럼 기사를 확인해주세요.

◆아자토웃스 : 세 시부터 분수 광장에서 극단 「그래도 일본에는 사계절이 있으니까」의 공연이 진행됩니다! 공간을 비워주시면 감사하겠습니다!

◆훙구루이 : 공간이 없는 경우에는 스터브로 날려버려서라도 비웁니다! 싫으면 보지 말라고는 하지 않았고, 꼭 보라고~.

◆아츠 : 로드스톤 제국 국립 교향악단의 연주는 이후 바로 열립니다. 각 맵의 어레인지 송, 던전 보스 송 메들리 등을 예정하고 있습니다. 꼭 찾아와주세요.

◆오이와이 : 벼룩시장은 남쪽 기사단 지부를 중심으로 마음에 드는 곳에서 가게를 차려도 된다고 합니다.

◆엘피 : 사기는 통보 대상이니 절대 하지 말아 주세요.

이런저런 이벤트 선전이 흘렀다.

모션과 대사로 극을 연기하는 극단이나 악기 연주 스킬을 다수가 동시에 써서 연주하며 오케스트라를 하는 악단 연주, 보기만 해도 즐거울 것 같네.

◆아코 : 흥겹네요~.

◆루시안 : 다들 여기에 맞춰서 준비했을 테니까.

◆아코 : 문화제 같네요.

◆루시안 : 내 말이.

유저 이벤트는 운영진이 주최가 아닌, 유저 측에서 모든 걸 준비하는 이벤트다.

그러면 자연스레, 학교 문화제처럼 된단 말이지.

◆세테 : 저기저기, 어디 갈까?

◆루시안 : 극단 공연이려나~, 역시ㅋ

◆슈바인 : 그 말투 진짜 그만둬.

◆애플리코트 : 나는 벼룩시장으로 간다. 막아도 소용없다. 반드시, 혼자서라도 간다!

◆루시안 : 안 막을 거지만, 그 강한 의지는 뭐야?!

공연까지는 시간이 있으니까, 어울려줄까.

마을 남쪽에 위치한 기사단 지부 근처로 가자, 그야말로 굉장한 숫자의 노점이 길을 가득 메우고 있었다.

◆루시안 : 이거 굉장하네~.

◆아코 : 어디를 봐야 좋을지 전혀 모르겠어요!

◆세테 : 파는 물건의 가격도 장르도, 전부 제각각이네.

◆애플리코트 : 이 난잡함도 벼룩시장의 매력인 셈이지.

마스터는 끝에서부터 노점 상품을 확인했다.

◆애플리코트 : 나중에 구입하려고 생각했던 가게가 정신이 들자 사라지는, 그런 일이 일상다반사! 지금이 전부, 기회는 한 번뿐! 이 순간에 만난 상품을 뒤져서 사는 거다!

◆아코 : 마스터가 보고 있는 가게의 상품이 점점 줄어들고 있어요!

◆애플리코트 : 하하하하하! 이것도! 이것도! 이것도! 전부 내 거다!

◆아코 : 설마, 폭주……?!

◆루시안 : 샀구나…….

◆슈바인 : 그래…….

◆세테 : 스트레스가 쌓인 거구나, 선배…….

마스터는 완전히 폭주했다.

이렇게나, 이렇게나 돈을 쓰고 싶었던 건가……!

◆슈바인 : 마스터에게는 정기적으로 돈을 쓰게 해야 하는 걸지도.

◆루시안 : 게임 머니로 끝난다면 좋긴 하지만…….

과금하는 것보다는 훨씬 나으니까, 이걸로 참아주세요.

◆슈바인 : 마스터만큼 살 생각은 없지만, 싸게 파는 가게가 많네~.

◆슈바인 : 봐봐, 여기도.

◆슈바인 : 어? 거짓말!

◆아코 : 왜 그래요~?

◆슈바인 : 이거 봐봐! 강검(剛劍) 만지 히토키리마루! 1M! 정가의 반액이잖아?!

슈는 즉시 구입이야! 라며 구매했다.

뒤숭숭한 이름의 검이지만, 확실히 인간 특공 효과였을 거다.

◆슈바인 : 역시 벼룩시장이네. 좋은 걸 구입했어~.

◆루시안 : 누가 그렇게 싸게 팔고 있는 거지?

노점 주인을 보자, 그곳에 앉아있는 건.

◆바즈 : 뭐야, 너희냐.

◆루시안 : 강검 만지 히토키리마루, 팔고 있던 건 너였냐!

이름을 보니 어딜 봐도 바츠의 서브 상인!

당연하지만, 이 세계 정말 좁구나!

◆슈바인 : 왜 이런 가격에 팔고 있어? 고맙긴 하지만, 설마 가격 파괴냐?

◆바즈 : 아니, 그게. 원래 +10으로 강화하려고 예비를 모아둔 건데, 해보니까 의외로 바로 올라가서 남았거든.

◆슈바인 : 뭐? 그럼 지금의 메인 무기는…….

◆바즈 : 강검 만지 히토키리마루 오브 트리플 맨이터+10ㅋ

◆슈바인 : 넌 대체 얼마나 사람을 베고 싶은 거냐.

◆바즈 : 주로 베고 싶은 건 검은 마술사하고 애플리코트인데.

◆슈바인 : 완전히 최강 결정전을 노리고 있구만…… 이 몸도 나갈 테니까 각오하라고.

◆바즈 : 나랑 붙기 전에 무조건 지잖냐ㅋㅋㅋ

◆슈바인 : 이 몸에게 썰려서 울부짖지나 말라고!

왠지 뜨겁게 타오르는 두 사람은 내버려 두고.

확실히 주변 노점을 보니 묘하게 가격이 싸다.

바츠는 물론이고, 은근히 이름이 알려진 사람들만 강력한 장비를 싸게 파는 느낌이 든다. 뭐지? 은퇴 처분에 가까운 분위기다.

이렇게 빡겜하는 사람은, 공공장소에 팔 때는 은근히 엄격하게 가격을 정하는 일이 많은데…….

◆루시안 : 어째서 이렇게 싸게 파는 사람이 많은 거지…….

◆아코 : 싸면 좋은 일이잖아요!

◆애플리코트 : 하~앗하하하! 가게를 통째로 구입이다!

◆세테 : 독점은 민폐니까 안 돼~!

우리 중에서 제일 몰입하는 사람은 사기만 하는데 말이지.

그러나 악단도 극단도 굉장히 힘을 줘서 선전하고 있고, 벼룩시장도 묘하게 활기차다.

TMW와 문벌귀족은 그렇게나 다투던 길드였는데도 화기애애하게 운영하고 있다.

조금 이상하다는 생각이 드는데…… 무슨 일 있었나?

그런 의문을 가지며 벼룩시장을 걷고 있는데, 갑자기 화면 중앙에 아이콘이 불쑥 표시되었다.

개인과 개인이 아이템이나 돈을 트레이드하는, 거래를 요청하는 마크다.

◆루시안 : 응? 트레이드?

누구한테 온 거지? 상대를 보니, 이름은 아코였다.

아코가 트레이드? 어째서?

말을 걸어보려 했지만, 같이 걷고 있던 아코의 모습이 없었다.

◆루시안 : 어라? 아코? 어딨어? 그보다 이 거래 요청은 뭐야?

◆아코 : 네, 제가 거래를 희망해요! 교환 모집이에요!

◆루시안 : 교환 모집……?

무슨 소리인가 싶어서 채팅이 나온 방향을 찾았다.

그러자 구매 채팅이나 물물교환을 모집하는 노점 안에 끼어든 아코의 모습이 보였다.

아코가 표시한 거래 희망 내용은.

◆아코 : 모집)루시안 / 출품)아코 / 현실에서의 거래 희망

◆루시안 : …….

말없이 화면에 나온 거래 요청을 캔슬했다.

거절하자 다시 거래 요청이 왔지만, 역시 즉시 캔슬.

다시 요청이 왔지만 문답무용으로 캔슬.

◆아코 : 거래하자고요오오오오!

◆루시안 : 리얼 트레이드는 약관 위반이니까 거절합니다.

◆아코 : 그런 말 하지 말고 결혼 트레이드 부탁합니다!

◆루시안 : 거래 불성립으로 부탁드립니다.

아무리 벼룩시장이라도, 신부를 충동구매하지는 않으니까!

■2월 12일 화요일

"좋은 아침이에요, 루시안."

"캑…… 조, 좋은 아침. 아코."

"왜 그러나요? 루시안. 아침부터 기운이 없네요? 몸 상태는…… 딱히 나쁘지는 않은 것 같은데요."

"내가 기운이 없는 건 아코에게 기운이 넘치기 때문이야……."

등교했더니 이미 아코가 교실에 있었다. 명백하게 평소보다 등교 시간이 빠르다.

최근 낌새를 살피면, 그것만으로도 불길한 예감밖에 들지 않는다.

"……뭔가 꾸미고 있지는 않은 거지? 아코."

"누명이에요! 저는 나쁜 일은 아무것도 하지 않았어요!"

"그런 말투면 나쁜 일 말고는 한다는 거잖아!"

그렇게 말하면서 가방에서 노트와 교과서를 꺼냈다.

오늘 분량을 책상에 넣으려고 했는데, 탁 소리를 내며 손이 멈췄다.

"……응?"

교과서와 노트가, 책상에 전혀 들어가지 않는다.

아니, 공부할 거리를 매일 들고 돌아가라는 지시를 성실하게 지키는 타입은 아니거든?

그렇다고 해서, 시험 전에 전부 남겨두고 갈 만큼 자신감이 있는 것도 아니다. 저번에 텅 비우고 돌아갔을 거다.

즉, 내가 모르는 무언가가 책상에 들어있다.

상상할 수 있는 범인은 한 명밖에 없다.

아코에게 힐끔 시선을 보내자.

"휘익~, 휘휘휘이익~."

"얼버무리는 게 허접해!"

역시 뭔가 했잖아, 아코!

"순순히 자백해. 뭘 꾸민 거야."

"……이, 일단 안을 확인하지 않을래요?"

"위험물은 아니겠지?"

"물론이죠! 보장할게요!"

"보장한다면, 역시 범인은 아코잖아……."

누명이란 뭐였던 거야.

뭐, 위험하지 않다면 꺼내겠지만.

"으~음…… 뭐야, 책? 교과서? 아니, 무거운데. 사전인가?"

뭐야 이거? 그렇게 생각하자 꺼낸 그것은.

"……젝○?"

"젝○에요."

"아니, 진지하게 수긍하지 말라고! 고등학생의 책상에 젝○를 넣어두는 녀석이 어딨어!"

여기 있네!

그보다, ○시는 유명한 결혼정보지잖아. 어째서 이런 걸

갖다 놨어!

아니, 이유는 물어볼 필요도 없이 알고 있지만!

"이걸 읽고 결혼할 생각이 되라고?"

"네! 멋진 결혼식 사진이라든가, 여러 결혼식장 광고가 실려있으니까, 꼭 보고 결혼해주세요!"

"거절합니다. 이런 건 좀 더 나중에 해도 돼."

"에이, 읽어주세요오."

"그럼 나중에 아코네 집에서 읽을 테니까, 일단 가지고 돌아가."

"그, 그렇게 말하지 말고, 꼭 받아주세요!"

넘겨주려고 젝○를 들자, 아코가 사삭 거리를 벌렸다.

왜 도망치는데. 원래 아코 책이잖아.

무거우니까 바로 받아서—.

아아, 그렇군. 몇 초 들고 있으니까 깨달았다.

"알았다. 이거 엄청 무거우니까 가지고 돌아가고 싶지 않은 거지?"

"맞아요. 계산해보니 3킬로그램 이상은 되더라고요. 이제 들고 있기만 해도 힘들어서……."

"거의 둔기네."

잡지 같지 않은 압도적인 무게. 내 팔이 부들부들 떨릴 정도의 중량.

이건 아코에게는 힘들겠지.

"그래도 그래도, 내용은 굉장히 근사하다고요?"
"말하면서 떨어지지 마. 떠넘기지 마. 에에잇, 기다려!"
프러포즈를 받을 생각이 든 뒤에 차분히 읽어보려고 한다.

그리고 오늘도 복각 이벤트가 개최 중.
이번에는 우리에게도 감회가 깊은 퀘스트다.
"사랑의 시련, 다시. 소년과 소녀는 또다시 앞을 가로막는 강대한 적 발렌티누스 다크밸런타인 어벤저를 쳐부수고 최고의 밸런타인을 맞이할 수 있을 것인가! 레전더리 에이지, 밸런타인 이벤트— 여기에 다시 개최입니다!"
"이름하여, 몇 번이나 나오다니 부끄럽지도 않은 건가 발렌티누스 님, 이다."
"이 녀석하고 싸우는 것도 벌써 몇 번째야."
"장비를 떨구지도 않는데 말이지."
발렌티누스 시리즈는 지금도 나름대로 상당한 스펙을 자랑한다. 나와준다면 그건 그것대로 기쁘다.
저번에는 직업 구성 고정이고, 인원도 한정됐던 밸런타인 던전.
이번에는 복각이라서 난이도에 초급(超級)이 추가되었고, 게다가 이런 변화도 생겼다.
◆안내요원 : 이 던전은 탱커 한 명, 힐러 두 명을 포함한 8인 파티로 입장해주세요.

조건에 힐러가 한 명 추가되었고, 8인 던전이 된 거다.

그렇다면, 이렇게 될 수밖에 없다.

"저기, 오빠. 무리해서 학교에서 게임을 할 필요는 없다고 생각해."

"선생님도 시험 전이라 바쁜데……."

"자자, 그렇게 말하지 말고."

특별 게스트인 미즈키와, 입으로만 싫어하는 선생님을 파티에 편성.

루시안, 아코, 슈바인, 애플리코트, 고양이공주, 세테, 슈슈, 미캉.

이걸로 딱 8인팟이다.

"우리 부만으로 8인팟을 만들 수 있을 줄이야. 꽤 감회가 깊구나!"

"여동생은 부원이 아니고, 그렇게 말하는 마스터는 은퇴했지만 말이지."

현 부장이 떨떠름한 표정을 짓는 걸 가볍게 무시한 마스터가 호령을 외쳤다.

"자, 간다! 발렌티누스의 어둠을 걷어내기 위해, 출격이다!"

◆발렌티누스 : 밸런타인!

◆발렌티누스 : 오브 디!

◆발렌티누스 : 엔~드!

"대미지가 너무해요~! 무리~!"

전체 연속 퍼센트 대미지 앞에서 메인 힐러(자칭) 아코가 반쯤 울상으로 외쳤다.

"그래그래 엔드엔드. 알고 있었다 알고 있었다냐."

그와는 대조적으로, 서브 힐러(타칭) 선생님은 태연하게 회복을 끝냈다.

이 차이. 그야말로 압도적이다.

"인원이 배로 늘었는데도, 고양이공주 선생님이 있으니까 굉장한 안정감이네."

"저번에는 아코가 고생했던 던전이었으니까아."

"그냥 고양이공주 씨 한 명이면 되지 않을까요."

"조작을 포기하지 말고, 타마키도 움직여야지!"

선생님은 기믹을 피하면서 부지런히 회복을 날렸다. 이야~, 정말 믿음직하네.

엔드 콘텐츠까지 고개를 내미는 힐러는 테크닉이 달라!

역시 폐인 힐러는 최고라고!

"아코가 전혀 활약하지 않는데, 쓰러뜨릴 수 있을 것 같네~."

"앞으로 3할. 그때까지 선배한테 어그로를 빼앗아야지."

"미캉. 그런 게임이 아니라고 생각하는데?"

발렌티누스 다크밸런타인 어벤저의 HP는 앞으로 3할 정도.

지금까지 문제없이 깎아낸 이상, 아무 일도 없다면 이대로 쓰러뜨릴 수 있겠지만—.

◆발렌티누스 : 허, 무시무시한 사랑의 힘! 그렇다면 그 사랑이 영원하다는 걸 증명해보아라!

어라? 이런 대사, 저번에 있었던가?

"냐? 모르는 기술이네."

"선생님도 그런가요. 그럼 진짜로 신기술인가."

일단 가볍게 방어 버프를 걸고, 적의 동향을 주시했다.

발렌티누스는 탱커인 내게 공격을 가한 뒤, 빙글 방향을 바꿔서 고양이공주 씨를 타깃.

◆발렌티누스 : 묶여라, 붉은 사랑의 실!

내 루시안과 고양이공주 씨가 핑크색으로 확 빛났다.

그리고 두 사람 사이에 붉은 실이 연결됐다. 발렌티누스답게, 그야말로 사랑의 운명처럼.

"……어? 왜 붉은 실?"

"뭘까? 끊어도 되는 타입? 아니면 끊으면 안 되는 타입?"

진지한 게이머인 선생님은 바로 분석을 시작했다.

그러나 이곳에는 기믹이 어쩌니, 장치가 어쩌니 하는 논리가 통하지 않는 여자가 있다.

"루, 루시안과 고양이공주 씨가 붉은 실로 이어지다니! 절대로 안 돼요오오오오오!"

"타마키?! 그게 화낼 일이니?!"

"당연하죠! 절대로 안 돼요! 리트라이! 리셋! 재시도를 요구해요!"

단호히 거부하는 자세를 보인 아코는 일단 조작은 계속했다. 성장이 느껴지네!

"그보다도 선생님, 힐힐! 회복해줘!"

"어라? 힐링 서클은 뿌려놨는데……."

고양이공주 씨가 포와~앙 빛을 흩뿌렸다.

평소라면 한 번에도 단숨에 회복될 텐데.

"음. 전혀 회복되지 않는 모양이다만."

"죽는 패턴, 이에요."

"이젠 아코라도 좋으니까 힐 플리즈!"

"회복은 하고 있지만, 저만으로는 따라갈 수 없어요!"

아코를 시작으로, 나와 고양이공주 씨 말고는 차례차례 격침되어서 파티는 괴멸 상태가 되었다.

◆발렌티누스 : 그 정도의 사랑으로는 초콜릿도 녹이지 못한다! 다시 오너라!

나와 고양이공주 씨만 남은 순간, 붉은 실이 끊어지며 두 사람도 즉사했다.

으으음. 저기, 이건 무슨 기믹일까요?

"선생님, 해설을 부탁합니다!"

"왜 루시안과 고양이공주 씨가 이어진 건가요!"

나와 아코가 묻자, 선생님은 눈살을 찌푸리며 말했다.

"……이건 성가신 예감이 든다냐."

"검증 결과, 대부분의 세부사항은 알아냈어."

선생님이 수업 중일 때의 말투로 말했다.

"플레이어 두 명을 잇는 실은, 반드시 어그로 1위인 탱커와 회복량 1위인 힐러를 선택합니다. 그리고 대상 힐러는 실이 이어진 탱커밖에 회복할 수 없습니다."

「이야기는 단순합니다」라며 말을 이어갔다.

"메인 탱커를 담당하는 힐러와, 그 이외를 담당하는 힐러로 분담해서 회복을 돌린다. 이건 그런 기믹이네."

"흐~응. 노력한 힐러와 노력한 탱커가 이어지는 건가."

"사이토 교사가 회복량 1위인 건 당연하겠지. 그렇다면……."

"아코에게 모두의 회복을 노력해달라고 하자!"

당연히, 이런 결론이 나온다.

실로 이어진 건 루시안과 고양이공주 씨고, 아코는 모두의 회복을 맡는다. 그런 플랜이 타당하겠지.

그러나 그런 정당한 플랜을 듣자.

"안 돼요오오오오오!"

아코가 붕붕 고개를 내저었다.

뭐, 그럴 줄 알았습니다!

"밸런타인에, 고양이공주 씨와 루시안이 붉은 실로 이어진다니! 아내로서 용납할 수 없어요!"

"이어진다고 말하니까 이상해지는 거야! 실로! 연결될! 뿐!"

"냐, 냐우우."

선생님은 「이렇게 될 줄 알았다냐」 하고 작게 중얼거렸다.
네, 정말이지 예상대로 귀찮아졌네요.
"그럼 해결 방법은, 타마키가 열심히 해서 회복량 1위가 되는 것뿐이네."
"그럼, 될 때까지 하나요?"
후타바다운 의견이지만, 그 방식으로 클리어 가능하다고 단정할 수 없는 게 아코다.
"성장하지 않는 힐러를 지켜보면서 무한히 도전하고 싶다면, 미캉의 의견대로 하마."
"아코의 성장 속도를 얕보면 후회하게 될 거야."
"……제가 잘못했어요."
"아코 씨, 그렇게나……?"
"언니를 그런 눈으로 보지 말아 주세요!"
시누이(예정)에게 차가운 시선이 날아오자 아코는 풀이 죽었다.
그렇게 생각하면 익힐 수밖에 없다고 생각하는데.
"그럼 아코, 특훈이라도 할까? 전에도 했잖아?"
세가와가 느긋하게 말했다.
그러나 그런 그녀의 어깨를 탁 두드리는 손이.
"남 일처럼 말하는데, 길드 마스터인 나는 보고 있었다고? 딜러인데도 분위기만 보고 대충 대처해서 대미지를 꽤 받았더군?"

"으극."

"그건 나도 봤지……."

이번 발렌티누스, 초콜릿 존이니 스플래시 초콜릿 같은 평범한 광역 공격도 날린다. 특수한 요소가 없어서 보고 피하면 되지만, 다들 은근히 얻어맞더란 말이지.

"그보다 선생님이 힐러를 할 때는 모두의 플레이가 좀 허술해지는 기분이 든단 말이야."

"대체 얼마나 힐러 아코를 두려워했느냐에 대한 이야기이기도 한데……."

"그치만 맞아도 디버프가 없고, 광역 한 번으로 회복되잖아? 괜찮을 것 같아서……."

"무땅과 동시 조작하는 거 힘드니까, 조금이라면 괜찮을 것 같아서……."

"발을 멈추고 연사하는 게, 아처의 꽃, 이에요."

모두 자각은 있었던 모양이다.

"그래. 문제는 아코만이 아니다. 전원이다."

마스터가 의자에서 일어나서 부실 선반을 향해 걸어가며 말했다.

"우리가 대미지를 받으면 사이토 교사가 편하게 회복시키지. 그러나 아코에게는 난이도가 높다. 그래서 여유가 있는 사이토 교사가 항상 광역 힐을 돌리는 거다."

선반을 열고 부스럭부스럭 안을 뒤지면서.

“루시안만 회복시키는 아코보다도, 전체에 힐을 돌리는 사이토 교사의 회복 총량이 웃도는 건 당연. 우리가 대미지를 계속 받는 한, 두 사람의 차이는 벌어지기만 하겠지.”

“……불길한 예감이 드는데, 뭘 시키려는 거야?”

“오랜만에 그걸 꺼내 보지 않겠는가!”

그렇게 말한 마스터의 눈은 번쩍 빛난 것처럼 보였다.

꺼낸 것은 룰렛과, 커다란 시트 한 장.

그건 옛날에 썼던 트위스터 게임……!

“복각 퀘스트에는 복각 공략! 괜찮지 않은 마스터의 개조 수술이다!”

“우와. 나왔어, 이거!”

“그리워라~, 아직 있었구나?”

세가와와 아키야마가 그리워했다.

“……뭘 하려는, 건가요?”

반대로 후타바는 고개를 갸웃했다.

“적의 공략에 대한 대응은 정해져 있다. 이후에는 반사적으로 움직이면 노 대미지!”

다시 말해! 라며 그야말로 기쁜 듯이 이어갔다.

“몸으로 기억하는 트위스터 게임이야말로 가장 좋은 거다!”

“그 이론은 이상해요.”

후타바의 말이 옳지만, 그걸로 마스터가 멈춘다면 아무도 고생하지 않아.

"다음은 아코다. 초콜릿 존, 색은 하얀색!"
"거, 검은색으로 이동하면서 힐 콤보를 잇습니다!"
"그것뿐인가냐?"
"다른 모두의 상태도 보고, 맞을 것 같으면 광역 준비를…… 어, 이동과 힐과 광역의 세 칸을 밟아야 하는 건가요?! 이 자세에서?!"
"아코. 내 밑에서 왼손을 내밀면 닿지 않을까?"
"조금 움직이면 여기에 오른발을 뻗을 수 있어."
"타마키 선배. 그거, 아슬아슬 가능."
여자 네 명이 얽혀서 서로의 행동을 어시스트하듯이 더욱 밀착했다.
어쩜 이리도 아름다운 광경인가.
"……어째서."
"응? 왜 그러나? 루시안."
나도 모르게 목소리가 나왔다.
아니, 목소리를 억누를 수가 없었다.
어째서. 그래. 어째서.
"어째서 나는 저 사이에 끼지 못한 거지?"
"무슨 소리를 하는 거니? 니시무라."
선생님이 어이없어했지만, 내 마음은 변하지 않는다!
"괜히 폼 잡으면서 거절하는 게 아니었어…… 지금이라도 참가하고 싶어……!"

"욕망이 줄줄 새고 있지 않은가, 루시안."

"대단히 백합백합한 광경이라, 성욕이 이성을 웃돌았어."

너무 얽혀서 타워로 변해버린 네 사람. 그야말로 키마시타와—[#4].

"그래도 백합백합하다면, 방해하는 건 죄거든?"

"알고 있어요. 벽이 되어서 저 백합을 바라보고 싶다. 그런 마음은 저한테도 있다고요."

그러나. 그것만은 아니다.

"죄를 저질러서라도 백합 사이에 끼고 싶은 자신과, 결코 방해하지 않고 벽이 되어 지켜보고 싶은 자신은 동거할 수 있다고요. 선생님."

"남자는 복잡하다냐아."

"다음, 세테. 오브젝트 영창 개시다."

"영창이 기니까 자버프로 공격하고, 일단은 포션도 마신다!"

"포션은 멀지 않나요?! 그건 포기하죠!"

"괜찮아 괜찮아. 겨드랑이 쪽 미안해~."

"잠깐, 나나코. 그 자세 어쩔 거야?! 각도 이상하지 않아?! 다, 닿을까?!"

"잠깐, 무리, 무리에요! 꺄아아앗!"

"쿠흡."

#4 키마시타와 "왔어요"라는 뜻. 애니메이션 [스트로베리 패닉!]에서 등장한 대사로, 백합 전개가 벌어지면 나오는 유행어이다.

키마시타와 붕괴. 네 사람은 서로 얽혀서 무너졌다.

"어째서 나는 저 밑에 깔리지 못한 걸까……."

"그렇게 됐다면 오히려 타마키가 화를 냈겠지?"

"알고 있지만 밑에 깔리고 싶었어요."

괴롭다. 굉장히 괴롭다.

"오빠, 정말로 평범하게 최악이야."

여동생의 멸시하는 시선도 괴롭다.

"뭣하면 너는 끼어도 되지 않을까?"

"나는 전부 피할 수 있는걸."

미즈키는 태연하게 말했다.

실제로 그랬다. 평소에 솔로라서 그런지, 피할 수 있는 건 전부 피하는 미즈키는 이런 재미난 특훈을 할 필요가 없다.

"왜 플레이 시간이 제일 적은 미즈키가 제일 우수한 걸까……."

"으으으, 관절이 아파요오."

"아코, 몸 딱딱하네."

"차라리 다른 곳에 있는 힐을 밟는 쪽이 스트레칭에 좋지 않을까?"

"그게 목적인 게임이 아니라고요오!"

"……오빠. 저걸로 잘 될까?"

"되니까 곤란하단 말이지."

그때, 휴식에 들어갔는지 아코가 터덜터덜 걸어왔다.

"끄, 끔찍한 경험을 했어요."
"뭐, 마스터의 개조 수술은 대부분 너무하지."
"이유 없는 중상모략이 시험 전의 나를 덮친다!"
"오히려 시험 전에 뭘 하고 있느냐는 말을 하고 싶은데……."
그런 대화 와중.
아코가 방구석에 있던 미즈키를 불러서 소곤소곤 뭐라 말하는 걸 눈치챘다.
"슈슈, 슈슈. 잠깐 상담할 게 있는데요."
"언니가 상담? 뭔가요?"
"실은 말이죠……."
"……응? 그 정도라면 상관없지만……."
엄청 순순히 언니라고 말했네, 미즈키.
미즈키도 꽤 좋은 방향으로 익숙해지고 있는 걸지도 모른다.
역시 부 활동에 부르지 않는 편이 좋을지도 모른다는 생각이 잠시 들었다.
아무튼, 괜찮지 않은 마스터의 개조 수술 결과는 어떨까.
실전은 내일이다.

■2월 13일 수요일

"존의 영창 개시다! 광역이 온다!"

"아, 힐에 손이 닿아요. 버튼을 누르고 고를게요. 어쩜 이리도 근사할까요."

"트위스터 게임은 또 하고 싶네."

"나나코는 즐기고 있었으니까."

"몸이 부드러운 거, 부러워요."

어제의 성과인지 대미지를 마구 입던 멤버들이 제대로 피하고, 아코도 확실히 회복을 돌렸다.

그리고 적의 HP가 3할까지 줄어들자, 무사히 아코와 루시안이 붉은 선으로 이어졌다.

"해냈다, 해냈어요! 루시안이 저와! 이어졌다고요!"

"선으로, 말이지!"

"지금부터 루시안의 운명은 제가 전부 쥐고 있는 거죠. 후후후~."

"부탁한다. 진짜로 부탁해. 뭘 부탁하냐면, 힐은 그럭저럭 써도 되니까 실수해서 죽지 마."

죽으면 누구에게도 힐을 받지 못한 채 버텨야만 한다.

레벨도 올라가고, 장비도 강화되고, 전직도 했다. 그 시절의 내가 아니지만, 그래도 노 힐은 꽤 벅차다.

"괜찮지 않은 마스터의 수술에 성공한 저를 믿지 못하는 건가요! 맡겨주세요!"

"아아아, 전혀 믿을 수가 없어!"

"그건 나의 개조 수술을 믿지 못하는 건가, 아코를 믿지 못하는 건가. 어느 쪽인 거냐!"

"둘 다야! 둘 다!"

"아아, 모두에게 거리낌 없이 힐을 날릴 수 있다냐. 정말 편하다냐."

전투 중에 소란을 부리면서도 발렌티누스 다크밸런타인 어벤저의 HP를 계속 깎았다.

◆발렌티누스 : 엔~드!

5할, 5할, 7할의 연속 공격. 초급이라 그런지 이게 네 번째다.

그래도 이걸 버텨낸 지금, 녀석의 HP는 이제 10% 이하.

이제는 마지막의…….

◆발렌티누스 : 어째서냐…… 어째서 쓰러지지 않느냐!

발렌티누스가 양손을 들고는 크게 외쳤다.

◆발렌티누스 : 인정할 수 없다…… 인정할 수 없다! 인정할 수 없다!

전과 마찬가지로, 발렌티누스는 아코만을 타깃으로 삼아서 망치를 들어 올렸다.

◆발렌티누스 : 이 목숨이 다한다 해도, 사랑 따위는 인정할 수 없다!

네가 똑같은 짓을 한다면, 당연히 나는 이렇게 할 뿐이다.

◆루시안 : 아코, 사랑해!

◆루시안 : '너를 놓지 않겠어!'

"저도 그래요! 결혼해주세요!"

"싫습니다."

"냐우우우우우!"

전에도 그랬듯이, 아코의 대미지를 대신 부담했다.

그래도 그것만이 아니다. 나도 성장했으니까!

"온존해둔 버프를 먹어라아아아아아!"

모든 버프를 걸어서 대미지 경감을 시도한다!

대부분의 버프는 결혼 스킬로 날아오는 대미지와는 관계가 없지만, 여기서는 기분!

레벨도 올라갔다. 장비도 향상됐다. HP가 훨씬 올라갔다.

그래, 지금의 나라면!

◆발렌티누스 : 어째서냐…… 어째서…… 어째서 모르는 거냐.

발렌티누스가 풀썩 무릎을 꿇었다.

그 눈앞에서, 나와 아코는 확실히 살아남았다.

"좋았어! 버텨냈다고 짜샤아아아!"

"역시 대단해요 루시안! 두 사람이 이어진 채 클리어네요!"

"쓰러뜨리면 이제 사라지잖아! 그리고, 선이 연결됐을 뿐!"

"그보다도 발렌티누스의 드롭은? 투구 같은 거 안 떨어졌어?"

"드롭품, 없음."

"짠~돌~이~!"

뭐, 그렇긴 하겠지.

이벤트 클리어 보수는 제대로 받을 수 있으니까, 그쪽을 기대하자.

"아, 루시안에게는 특별 보수가 있어요!"

그렇게 말한 아코가 이쪽에 거래 요청을 해왔다.

"이, 이번에는 결혼 거래가 아니겠지?"

"똑같은 프러포즈를 두 번 하지는 않아요."

그럼 됐다 싶어서 OK를 누르자—.

"모처럼 사랑의 힘으로 밸런타인 던전을 공략했으니까, 초콜릿을 받아주세요!"

"아아, 그렇구나."

거래 화면에 표시된 것은 하트 모양 초콜릿 아이템.

그렇군. 클리어 보수는 짰지만, 아코에게 초콜릿을 받았다면 열심히 한 보람이 있었다.

"응. 고마워. 소중히 할게."

"어서요 어서. 바로 먹어주세요."

아코는 싱글벙글 웃었지만, 아니아니 그건 좀 아깝지.

"게임 안의 초코는 썩지 않으니까, 추억으로 넣어둘게."

"그렇게 말하지 말고 먹어주세요. 바로, 지금 당장 먹어주세요."

싱글벙글! 압박감 있는 미소로 말했다.

"으, 으응? 정말로 바로 쓸 필요는 없다고 생각하는데?"

"부부니까, 루시안은 저의 초코를 먹어주겠죠? 네? 네?"

싱글벙글싱글벙글! 아코는 전혀 눈이 웃지 않는 웃음으로 윽박질렀다.

아, 알았어. 먹는다고. 먹으면 되잖아!

"초코는 평범한 회복 아이템이잖아? 더블 클릭으로 소비하고, HP가 회복될 뿐이니까 억지로 쓰지 않아도……."

아코에게 받은 초콜릿을 사용하자, 포와~앙 하고 회복 이펙트가 나왔다.

그리고 끝—이어야 하는데, 갑자기 내 화면이 꾸물텅 일그러졌다.

"응? 어, 뭐야 이거?! 버그 걸렸나?!"

"먹었군요, 루시안…… 제 사랑이 담긴 초콜릿을……."

자리에 앉은 아코가 악역 느낌이 풀풀 나는 목소리로 말했다.

역시 아코의 짓이었나!

"이 못 보던 이펙트는 뭐야! 무슨 일이 벌어지고 있어?!"

"훗훗훗. 로그를 보면 알 수 있어요."

"로그라니…… 헉, 이건!"

일그러진 화면 안에서 최신 시스템 로그를 찾았다.

그곳에는.

▶아코의 초콜릿[세뇌]을 사용했습니다.◀

"세뇌?! 그런 아이템이 있었어?!"

“저도 벼룩시장에서 보고 깜짝 놀랐어요. 요리 소재에 사용하면, 먹은 상대를 3분간 조종할 수 있는 재미있고 근사한 효과에요.”

“효과가 악랄해!”

전투 중에 썼다면 즉사잖아!

그런 내 생각을 읽은 듯이 마스터가 말했다.

“또한, 효과는 비전투 중, 맵에 몬스터가 없을 경우에 한정한다.”

“잘 알고 있네, 마스터!”

젠장, 눈치가 빨라!

“자, 루시안…… 저에게 조종당하면 무슨 일이 일어나는지, 아시겠나요?”

“서, 설마 아코! 내 루시안을 멋대로 조작해서……?!”

“그 설마예요!”

아코가 타탁타탁 키보드를 치자.

◆아코 : 루시안! 이 세계에서도, 그리고 현실에서도, 저와 결혼해주세요!

그 채팅이 표시되었다.

그리고 내가 아무 조작도 하지 않았는데, 루시안이 아코 앞으로 이동했다.

“내, 내 캐릭터가 멋대로 움직이고 있어! 역시 루시안을 조종해서 멋대로 대답을 시킬 셈인가!”

"아코, 진짜 악랄한 짓을 하네……."

"연애는 전쟁이에요! 수단은 가릴 수 없어요!"

살짝 질겁한 세가와에게 아코가 진지하게 말했다.

그리고 아코는 채팅을 입력해서 루시안을 조종하려 했다.

힐끔 보니, 그녀의 화면에 표시된 건 명백하게 결혼을 승낙하는 대답이었다.

그러나, 그 입력을 끝내기 직전에.

"Alt 키와 F4……."

"아아아아앗! 루시안이 사라졌어요!"

내 컴퓨터에서 작동하던 클라이언트가 강제 종료.

동시에 아코에게 세뇌되었던 루시안이 게임 안에서 사라졌다.

"강제 종료는 비겁하잖아요! 클라이언트를 종료할 때는 정규 수순을 밟지 않으면 안 된다고요!"

"연애는 전쟁이니까 수단을 가릴 수 없잖아!"

너가 10초 전에 말했던 거라고!

그리고 다시 로그인하자, 세뇌는 이미 효과가 끝나 있었다.

◆루시안 : 거 절 합 니 다.

"좋아, 거절 종료."

"이번에는 될 줄 알았는데……."

"그런 건 만약 성공해더라도 소용없으니까."

세뇌당해서 강제로 맺은 계약 같은 건 무효라고!

아, 그리고 조금 불안해졌는데.

"……아코. 현실의 초콜릿에 약 같은 걸 넣지는 않겠지? 세뇌 같은 걸 당하지는 않겠지?"

"음식을 함부로 다루지는 않아요."

"정말이지? 믿고 있다고?"

내일 밸런타인에 약간 불안감이 남았다.

■2월 14일 목요일

밸런타인 당일.

고등학생 남자라면 누구나, 여자 사람 친구가 어느 정도 있다면 특히나 더 두근거리는 가슴을 안고 학교로 갈 이날.

나도 심장이 두근두근 고동치는 걸 느끼면서 빨리 학교로 왔다.

그러나 그 두근두근은, 그 아이에게 초코를 받을 수 있다니 콩닥콩닥이라든가, 혹시 고백받지 않을까 하는 두근두근이 전혀 아니다.

아코가 또 뭔가 묘한 짓을 하지 않을까 불안하다는, 굉장히 절실한 이유에서 나온 두근두근이었다.

어째서, 어째서 나는 이런 괴로운 마음으로 밸런타인을 맞이해야 하는 걸까.

"좋아. 아코는 안 왔군…… 책상도 이상 없어."

어째서 이런 걸 확인해야만 하는 걸까. 여친(?)이 있는 몸으로서 즐거운 밸런타인이 되어야 할 텐데.

역시 반 애들은 슬픈 이유로 우울한 나를 제쳐놓은 채 활기차 보였다.

그런 모두를 바라보고 있는데.

"여어, 니시무라…… 지금, 몇 개?"

타카사키가 인사도 제쳐놓고 말을 걸어왔다.

몇 개라니, 초코 이야기겠지?

"그냥 제로인데."

"좋았어!"

타카사키가 승리의 포즈를 잡았다.

"기뻐하는 건 좀 아닌 것 같은데. 아코한테는 받을 테니까."

"우리가 아는 여자한테 받는 건 상관없어! 니시무라, 못 보던 다른 여자한테 걸린 건 아니겠지……?"

"그런 커뮤력 있는 남자로 보여?!"

최근에는 능력 없는 녀석이라 불리는 것도 익숙해졌는데.

애초에 작년과 비교해서 여자 지인이 후타바 정도밖에 안 늘었다고. 1년에 한 명밖에 늘지 않은 교우 관계라니.

"애초에 나는 아코한테 받을 수 있으면 그걸로 충분해."

받지 못한다고 불만이 있는 것도 아니다.

유감이기는 하지만, 안심하는 마음도 없지는 않으니까.

"니시무라, 니시무라."

이야기 도중, 누가 찰싹찰싹 등을 두드리는 감촉이.

"엥? 아아, 뭐야 세가와냐. 좋은 아침."

"아침~."

돌아보자, 세가와가 손을 하늘하늘 흔들면서 말했다.

"미안한데, 잠깐 할 말 있으니까 어울려주지 않을래?"

"어, 응. 알았어."

"……칫, 하나인가."

혀를 차는 건 이상하지 않은가, 타카사키여. 세가와는 아는 사이의 범주 아니냐.

함께 교실을 나와서 앞서가는 세가와 뒤를 따라갔다.

어라? 초코를 주는 것뿐이라고 생각했는데, 점점 교실에서 멀어져간다.

의문으로 생각하면서 따라가자, 건물 구석, 별로 쓰이지 않는 계단 앞에서 멈췄다.

"……좋아."

세가와는 주변을 두리번두리번 돌아보면서 사람이 없는 걸 확인하더니.

"일부러 이런 곳까지 오게 해서 미안하네."

"전혀 상관없지만, 왜 이런 사람 없는 곳에?"

"말했잖아. 할 말이 있다고."

"저, 정말로 할 말이 있는 겁니까……?"

일부러 나와 둘이서 이야기라니, 대체 뭘 말할 셈이야.

그러고 보니 이 주변은 방과 후에 자주 고백에 사용되지 않았던가.

사귀는 두 사람이 함께 있기도 하고.

그렇다고 세가와가 그럴 생각이 있는 건 아니겠지만! 알고야 있지만!

"아아, 그 전에. 자, 이거."

세가와가 깔끔한 포장을 한 손으로 들고 스윽 내밀었다.

"고마워…… 받아도 돼?"

"당연하지. 알고 있겠지만 초콜릿이야. 내가 주는 선물이니까 소중하게 먹으라고."

"으, 으응."

약간 긴장하며 받았다.

그런 내 모습이 이상하게 보였는지.

"……응? 왜 굳어진 거야."

"왠지 장소가 좀 그렇잖아. 여기 고백할 때 자주 쓰이니까."

"뭐어?!"

세가와가 켁! 하고 몸을 확 뺐다.

"무서운 소리 하지 마…… 아코가 들으면 어쩌려고."

나도 완전히 똑같은 공포를 느꼈다.

오랜만에 어둠의 아코가 강림할지도 모른다고 생각하니, 나름대로 긴장된다.

"애초에 내가 너한테 고백할 가능성이 있어 보여?"

"없다는 거야 알지만, 의식은 되잖아. 그게 남자라는 생물이라고."

가능성의 유무와 감정의 유무는 다른 문제입니다.

"너 말이야……."

세가와는 어이없다는 듯이 말하려다가, 문득 생각을 고쳤다.

"그래. 밸런타인에 초코를 주는데 전혀 두근두근하지 말라는 건 힘들겠지. 넘어가자."

그리고는 뭔가 납득했는지 씨익 웃으며 말했다.

"기합을 넣어 만든, 내 수제 초코니까! 의식해서 긴장해버리는 게 당연하겠지? 니시무라도 귀여운 구석이 있다니까!"

"에엑…… 수제인 거냐……."

"거기서 텐션을 떨어뜨리는 건 이상하잖아! 올라갈 때라고!"

"그치만 말이지…… 작년 초코는 아코의 지도가 있었잖아?"

하지만 이번 달은 다들 바빠서 그런 이야기는 전혀 듣지 못했다.

"올해는 누군가에게 배운 게 아니지 않아?"

"전부 자력이야. 그러니까 올바르게 내 수제지!"

그게 무섭다고!

"요전에 네 수제를 먹었으니까, 질 수 없어."

"일단 묻겠는데, 맛을 봤을 때는 괜찮았던 거겠지? 맛있겠지? 먹을 수 있는 거지?"

"…………."

세가와는 내게서 고개를 돌렸다.

"안심해. 애정은 가득 담겼으니까."

지금 문제로 삼고 있는 건 거기가 아니야!

"애정 이외의 뭐가 들었는지 신경 쓰이는 거라고!"

"들어있는 건 초콜릿뿐이야! 하지만……."

이쪽으로 고개를 돌린 세가와는 무척이나 딱딱한 미소를 지었다.

"초콜릿은 고온으로 녹이면 무언가와 무언가로 분리되더라……."

"나는 뭘 먹게 되는 건데!"

그 분리한 무언가는 제대로 합체해서 초콜릿으로 돌아왔어?!

"뭐, 뭐어, 뭐가 어찌 됐든 기쁘네. 고맙게 잘 먹을게. 응……."

"일단 조심해."

"뭘 조심하라는 거야?!"

세가와는 「그래서,」 하고 화제를 돌렸다.

"그래서 이야기 쪽인데, 아코의 낌새는 어때?"

"아, 정기 보고인가."

그랬다. 세가와에게 보고하겠다는 이야기를 했었지.

"매일같이 프러포즈를 하는 것 같던데…… 그거 어떻게 됐어? 괜찮아?"

내게 무언가를 선물로 준 세가와는 어디로 갔는지, 진지하게 걱정하는 모습으로 말했다.

"나는 네 편이라고 말했었는데, 바빠서 별로 듣지 못했으니까…… 조금 걱정돼서."

"넌 좋은 파트너라니까."

"당연하지."

신경 써주는 건 고맙다. 그렇지만, 그렇게 특이한 사태는 없었단 말이지.

"어디 보자…… 하나 말할 수 있는 건, 매일같이 프러포즈를 받는 게 아니야."

"뭐, 아무리 그래도 그렇게 빈도가 높지는 않겠지."

"아니야. 매일! 반드시! 프러포즈를 하고 있다고."

"진짜로?"

"진짜로."

서로 응시하기를 3초.

세가와는 몸을 부르르 떨고는 자기 몸을 끌어안으며 웅크렸다.

"그야말로 호러네……."

"완전히 사이코 호러라고."

매일 프러포즈를 받고 있다고! 말만 들으면 로맨틱하게 들리지만, 실제로 당하면 기쁨보다 공포가 앞섭니다.

"일단 묻겠는데, 제대로 거절하고 있지?"

"물론이지. 모두를 배신할 수는 없으니까!"

"괜찮아? 아코의 공세에 밀리고 있지는 않아?"

"윽……."

그렇게 물어보면 즉답할 수는 없을, 지도.

"……몇 % 정도 마음이 흔들렸는데?"

"20% 정도."

"약하잖아!"

그런 말을 해도 어쩔 수 없잖아! 평범하게 결혼은 무리잖아, 아직 이르다고 생각하니까 등등의 이유로 거절하고 있지만, 아코는 좋아한다고!

귀엽고 요리도 잘하고 취미도 맞고, 평생 함께하고 싶다고 생각한단 말이야! 그야 마음이 흔들리지!

"요전에도 말이지. 자기 생일인데 열심히 준비하고…… 앞치마를 입은 아코는 역시 가정적이구나 싶어서……."

"흐~응?"

아코의 생일은 솔직히 두근두근했다고 스스로 신고하고 있는 나를 본 세가와는 고민하는 표정을 지었다.

"네가 요리를 만든 거, 아코가 졸라서 그런 거지?"

"맞아. 내가 만든 걸 먹고 싶다고 해서."

"아코의 유일한 특기를 과시하면서, 너와의 공동 작업으로 거리를 좁힌다……. 흐~응. 걔가 생각한 것치고는 두뇌적인 작전이네……."

자, 작전이야?! 그걸 일부러 했다고?!

"그, 그런가? 아코가 평소대로 할 만한 일이라고 생각하는데."

딱히 위화감이 있던 것도 아니고.

뭐, 젝○를 참고로 했을 가능성은 있지만.

"……그러게. 지금 단계에서는 확실하게 말할 수 없어. 그래도, 묘하거든."

손가락을 하나 세우고.

"벌써 아군이 한 명 줄었잖아?"

"그건……."

2컷 만에 즉시 함락된 후타바다.

"아코에게 바로 회유되다니, 이 후배 녀석……."

"미캉은 유쾌범인 구석이 있으니까 이상하지는 않지만."

"바츠 사부의 악영향을 받고 있네."

"그건 개의 본성이야."

그럴지도 모른다. 처음 만났을 때부터 흔들림 없이 그런 방향성이었던 것 같으니까.

"반대로 말하면 후타바, 내가 진심으로 결혼하려 들면 진지한 표정으로 말릴 것 같기도 해."

"크으, 이해해."

엄청 초조해하며 말릴 것 같다. 「그럴 생각이, 아니었, 는데」 라고 말하면서.

상상하기만 해도 귀여우니까, 후타바의 설득에 밀려서 결혼하기로 했어! 라고 말해보고 싶다. 말하지는 않겠지만.

"하지만 말이지. 그래도 걔는 아코보다는 널 따르고 있었을 거야."

"일단은 내 위원회 후배니까."

요전에도 도서위원 일이 있어서 배신자 후배, 무능력한 선배라는 헛된 말다툼을 했었다.

"그런데도 아코한테 넘어간 거야. 그 아코한테."

세가와는 팔짱을 끼고는, 손가락으로 위쪽 팔을 톡톡 두드렸다.

"아코는 기본적으로 움직임이 느려. 니시무라네 부모님하고 만나는 것도 2년 가까이 걸렸으니까. 그런데 미캉을 하루 만에 함락시키다니 이상하다고 생각하지 않아?"

"듣고 보니……."

이상하게 움직임이 빠른 것 같다.

평소의 아코를 생각하면, 미캉이라고 해도 그리 간단히 함락시킬 수는 없을 거다.

"뭐, 괜찮다고 생각하지만. 수험에 한창인 마스터는 내버려 두더라도, 나머지의 결속은 완벽하니까."

"그렇, 긴 하지."

미즈키는 내 여동생이고, 선생님은 우리 중에서 제일 상식인.

아키야마는— 얼마 전 반지 이야기를 떠올리니까 약간 수상하지만, 아, 아마 아군일 거다!

“게다가, 나는 마지막까지 네 편이야. 무슨 일이 있어도.”

“세가와…… 고마워……!”

믿음직한 파트너의 말을 듣자 가슴이 뜨거워졌다.

동료들의 힘이 있는 한, 나는 아코의 유혹에 지지 않아!

그렇게 마음이 고양되었던, 그때.

탁, 하는 발소리가 들렸다.

누가 온 건가 해서 시선을 계단으로 돌렸다.

그곳에는 아래에서 천천히 계단을 올라오는 그림자.

“…………루~시~안, 슈~우~.”

긴 흑발.

감정이 빠져나간 눈동자.

그 손에 빛나는 무언가를 든, 아코의 모습.

“도둑고양이는~, 여기인가요~.”

“히이이이익!”

“도둑질은 안 했어! 안 했으니까 살려줘어어어어!”

“그럼 됐어요오오오…… 교실로 돌아가죠오오오…….”

“……응?”

“아코…… 화난 거 아냐?”

“뭐가 말인가요오……?”

“……아코. 혹시, 졸려?”

"굉장히 졸려요오오……."
손에서 빛나는 건, 커피 캔이었다.
헷갈리니까 그만두라고오!(겉치레) 하지만 나이스!(본심)

딱히 초콜릿을 더 받는 일 없이, 밸런타인의 학교는 끝났다.
시험 전이라 부 활동도 없고, 이후에는 귀가할 뿐이다.
"루시안, 돌아가죠!"
"예이예이."
기대한 것보다는 조금 가벼운 가방을 손에 들었다.
"아코, 니시무라. 내일 봐~."
"잘 가요~."
"넹~."
손을 흔드는 아키야마에게 인사했다.
그리고 아코와 걷기 시작한 잠시 뒤.
"……아키야마. 올해는 안 줬네."
작년에도 오하기였으니까, 엄밀하게는 작년에도 받지 않았다고 할 수 있지만.
"마스터도 학교에 오지 않았으니 당연하지만 못 받았고. 달라고 하는 건 아니지만, 아주 약간 유감이네."
아코에게만 받으면 된다는 건 거짓말이 아니다.
그러나 조금 쓸쓸함이 있는 것도 사실이었다.
"아, 마스터와 세테 씨, 그리고 미캉의 초코는 제가 맡아

놨어요. 나중에 루시안에게 줄게요."

"뭐?"

"친구 초코니까, 같이 먹으라면서 줬어요. 화이트데이의 답례, 라고 생각해야겠네요."

아코는 그렇게 덧붙이며 웃었다.

"과연, 그랬었나……."

아코를 경유해서 주면 숨기는 것도 아니고, 학교에서 남자에게 건네줄 필요도 없어진다.

아무도 거북하게 생각하지 않는다. 과연, 똑똑하네요!

하지만 이 대우— 내게 주는 초코가 아코를 경유한다는 건, 완전히 내 신부라고 인정하는 행동이 아닐까!

좋기는 하지만 말이지! 받기만 해도 기쁘니까!

"그러니까 오늘, 루시안네 집에 가도 될까요? 제 초코도 있으니까요."

"물론. 그보다, 아코의 초코도, 라고 하지 말라고. 아코의 초코가 메인이니까."

"고마워요! 기대해주세요!"

"……으, 응."

기대해달라고 하면, 왠지 반대로 불길한 예감이 드는데.

"평범한 초코, 겠지……?"

"열심히 했어요!"

"평범한 거 맞지?!"

"기대해주세요!"

"이야기 좀 들어……."

세가와의 초코와 달리 맛에 대한 걱정은 없는데, 어째서 이렇게 불안한 거야……!

아코를 데리고 귀가하자, 부모님은 물론이고 아직 미즈키의 모습도 없었다.

"미즈키도 아직 안 왔으니까, 방이 좀 춥네."

"난방 켤게요~."

아코는 우리 집 난방을 자기가 켰다. 꽤 익숙해졌다.

"아, 맞다맞다. 마스터의 노트북, 지금은 루시안네 집에 있죠?"

"최근에는 후타바가 자주 오니까 그쪽을 빌리고 있는데."

"또 빌려도 될까요? 마스터에게는 부탁했으니까요."

"물론이지. 그보다 이제 그만 돌려줘도 된다고. 진짜로."

"마스터는 필요 없다고 하니까요~."

"온라인 게임에서도 가끔은 있지만, 컴퓨터가 남는 사람은 대체 무슨 생각으로 산 걸까……."

종종 있단 말이지, 컴퓨터 본체가 남는 사람.

자, 그럼. 아직 추우니까 아코에게 차라도 타줄까. 그렇게 생각하고 있는데.

"루시안, 냉장고 빌릴게요~."

“아, 초코를 넣어둬야겠네.”

아코가 부엌 냉장고로 향했다.

모두에게 받은 초코를 냉장고에 넣어두는 거겠지. 그렇게 생각했는데,

“아뇨, 초코를 넣어놨거든요.”

“……넣어, 놨다? 넣으러 가는 게 아니라?”

“네. 벌써 들어있어요.”

“어째서 들어있어?!”

우리 집에 이미 초코가 있는 거, 이상하지 않아?!

오늘 아침 집에 나왔을 때 이미 있었다고?!

미리 준비해놓은 게 여기 있다는 전개를 우리 집에서 당하면 무서운데!

“우왓, 진짜로 들어있잖아! 무슨 마술이야!”

“슈슈한테 부탁해서 식혀달라고 했어요.”

“미즈키이이이! 너도 배신한 거냐아아아!”

그저께 뭔가 이야기한다 싶더니만 그 상담이었나!

“딱히 넣지 않아도 되잖아! 이렇게 추우니까 녹지는 않아!”

“이번에는 약간의 온기도 치명적이에요!”

“무슨 초코인 거야…….”

열에 약하다는 것만큼은 알았다.

초코의 기본 속성이라 아직 예상이 안 된다…….

“그래도, 응. 고맙게 잘 받을게…….”

"네. 이쪽이에요!"

아코는 의기양양하게 냉장고에서 작은 상자를 꺼냈다.

수제 래핑인 건지, 핑크색 포장지로 덮었고 작은 리본을 달았다.

"이거, 열어봐도 돼?"

"어서요, 어서."

리본을 풀고 포장지를 벗겼다.

포장용치고는 두께가 있는 종이. 뭔가 이상한 느낌.

접어서 놔두려고 하던 나는 알아챘다.

"이 포장지…… 뭔가 적혀 있지 않아?"

"눈치채셨나요."

아코는 환히 반짝이는 미소를 짓더니.

"이쪽 포장지, 혼인신고서로 되어있어요!"

"어째서 그런 영문 모를 사용법을?! 핑크색 혼인신고서 같은 게 있었어?!"

"젝○의 부록으로 나오더라고요."

"그 빌어먹게 무거운 잡지이이이이!!"

쓸데없는 걸 부록으로 붙이다니!

그야 규정대로의 내용만 적어두면 형식은 자유롭겠지만!

"혼인신고서는 넘어가고. 초콜릿은 어디 있어?"

상자 안에, 더 작은 상자가 두 개 있다.

이건 무슨 뜻이지? 하나는 내 거라면, 또 하나는?

"루시안 건…… 이쪽이네요."

아코가 하나를 손에 들어서 내게 내밀더니 탁 열었다.

그곳에는 초콜릿…… 아니 초콜릿색의, 가늘고 둥글고 작은 물체가 놓여있었다.

마치 손에 끼우면 딱 맞을 것 같은 크기의 이건, 설마—.

"반지, 인가……?"

"네. 초콜릿 반지, 초코링이에요!"

"어째서 초콜릿으로 반지를 만들었어……?"

"그야 물론! 이렇게 하기 위해서죠!"

나한테 살며시 반지를 내밀고는— 아니, 잠깐. 잠깐!

혼인신고서와 반지까지 제대로 준비했는데 미안하지만, 그건 무리니까!

"잠깐, 미안. 아코! 동작이 진지해 보여서 미리 막는 건데! 반지까지 만들었는데 정말 미안하지만! 바로 결혼은 절대 무리니까!"

아코가 프러포즈하기 전에, 선수를 쳐서 거절했다.

미안하다고 생각하지만, 이렇게 계속 프러포즈를 받는 건 역시 곤란하다.

"네. 알고 있어요."

"……알고 있어?"

그러나 아코는, 어째서인지 기특하게 끄덕였다.

"18세가 되면 당장에라도 결혼이라니…… 조금 무리였네요. 죄송해요.”
“어, 아, 응…… 알아주니 기쁘긴, 한데…….”
평범하게 그런 말을 하니까 단순하게 기쁘긴 하다.
하지만 내 눈앞에는 초코링이, 혼인신고서와 함께 있는데 말이지.
“아코, 그럼 어째서 반지 같은 걸 만들었어……?”
내 질문을 듣자, 아코는 부드럽게 웃었다.
“저는 생각했어요. 어떻게 하면 루시안의 희망을 들어줄 수 있을까. 그 대답은 간단했어요.”
아코는 다시 내게 반지를 내밀었다.
“루시안! 스무 살이 되면, 저와 결혼해주세요!”
“—스무 살?”
“네. 스무 살이요. 두 사람 다 스무 살이 되면 어엿한 성인이잖아요? 누구에게 사양할 것 없이 결혼할 수 있잖아요!”
이걸로 문제없죠! 아코는 그러면서 만족스럽게 웃었다.
“아코가 양보해준 건 대단히 기쁘지만, 으으음…….”
“자, 사양하지 마세요! 루시안의 사이즈에 딱 맞을 테니까요!”
상자를 받지 않자 인내심이 떨어졌는지, 아코는 초코링을 손에 들고, 내 손을 잡았다.
“자, 약지에 끼워………… 어라? 루시안?”
“아코…….”
반지를 끼우려는 아코를 막은 나는 그녀의 손을 감싸듯이 꼬옥 쥐었다.

"루시안……?"

"아코……."

반지를 든 아코의 손을, 마음을 담아 쥐었다. 이 마음이 전해지기를 바랐다.

"루시안……."

"아코……."

"루시…… 루시안? 저기, 이렇게 손을 잡아준 건 기쁘지만요, 이번 초코링은 진짜로 열에 약해서 말이죠. 그걸 신경 써서 냉장고에 넣어놓은 거라, 저희가 내뿜는 사랑의 온도는 이 아이에게는 너무나도 심하다고 생각아아아앗!"

긴 대사 도중, 손에 닿은 초코링이 꾸물텅 일그러지는 걸 알 수 있었다.

살짝 손을 떼어놓자, 그곳에는 반지라고 부를 수 없는 형태가 된 초코링이 있었다.

"아아아아, 형태가 무너졌어요!"

"이래선 두 번 다시 끼우지 못하겠지……?"

"어째서 이런 너무한 짓을 한 건가요오오오오!"

"피해자처럼 말하는데, 빠르든 늦든 이렇게 될 거였다고."

손가락에 끼우면 바로 녹을 테니까, 원래부터 시간문제였어.

"그럼, 잘 먹겠습니다."

"앗…… 네. 드세요."

일그러진 초코링을 받아서 입에 넣었다.

응응, 조금 부족한 사이즈지만, 맛은 굉장히 좋다.

왜 평범하게 만들지 않았던 거야, 아코. 나는 평범한 초코라도 좋았는데.

"잘 먹었습니다. 맛있었어."

"초코링이 먹혀버렸어요…… 변변찮았습니다……."

"참고로 다른 상자는?"

"이건 제 사이즈에요. 나중에 드세요."

"아코 사이즈의 반지, 먹어도 되는 거냐……."

"한쪽만이어서는 어쩔 수 없잖아요."

"모아놨어도, 장비하면 녹거든?!"

아코는「알고 있다고요~」라고 웃은 뒤,

"그래서 루시안, 스무 살이 되면 결혼하자는 건……."

새마음 새뜻으로, 와 같은 텐션으로 물었다.

이 느낌…… 역시 대답은 알고 있겠지, 아코.

"안 된다고. 그야 성인이니까 괜찮지 않냐는 논리는 올바르고, 대학생 부부는 평범하게 있긴 하지만……."

세간에서 보면 괜찮을 거다. 그러나 문제는 해결되지 않는다.

"나는 대학에 갈 생각으로 공부하고 있어. 무사히 합격한다면, 20세 무렵에는 아직 2학년. 취직도 정해지지 않았을 거야."

그 상태에서 결혼이라니, 나이야 많아졌지만 실제로는 지금과 변한 게 없다.

"분명 아직 책임을 질 수 있는 어엿한 어른은 아닐 거야. 아코를 행복하게 해준다는 약속도 할 수 없어. 그러니까 안 돼."

"루시안과 함께라면 그걸로 행복하다고요."

"그럼 결혼할 필요도 없잖아."

"그렇긴 하지만, 그렇긴 하지만요!"

으으으, 하고 중얼거린 아코는 크게 한숨을 내쉬었다.

"그래도, 알았어요. 안 된다는 건 알고 있었지만, 루시안이 조금은 흔들렸던 게 전해졌으니까요!"

"눈치가 빠르네, 젠장."

그래, 흔들렸어. 흔들렸고말고!

아코가 스무 살이 될 때까지 3년이잖아? 그만큼 지나면 되지 않을까 싶어서, 깊이 생각하지 않고 OK할 뻔했어!

"안 되거든. 지켜줄 수 있다고 단정할 수도 없는데 그런 무거운 약속을 할 수는 없어. 나는 입만 산 나쁜 남자가 될 생각은 없습니다."

"알겠어요. 알겠지만, 저는 포기하지 않을 테니까요!"

"포기해달라고."

"안 돼요~."

장난스레 웃은 아코는 손가락에 묻은 초코를 살짝 핥았다.

아, 그러고 보니 내 손가락에도 초코가 묻었네.

감싸고 있었으니까 꽤 진하게 묻었다.

씻는 것도 아까우니까, 나도 핥을까. 그렇게 생각한 순간.

"하움."

초코가 묻은 검지를 아코가 덥석 입에 물었다?!

"잠깐, 아코?!"

"우우우움우우우우움."

움직이지 말아 주세요~, 라고 말하는 건 알겠다!

이심전심인 게 이때만큼은 민폐!

"으음……."

내가 동요하는 사이에, 아코가 손가락을 입에 더 깊이 집어넣었다.

입 안의 따스하고 부드러운 감촉이 손가락을 감싸면서 왠지 이상한 기분이 들었다.

"이제 없어졌을 테니까, 됐다고."

"음~음음."

아직이에요, 로 들리는 목소리와 동시에, 아코의 혀가 손가락에 닿았다.

"음……."

끈적한 자극. 혀끝이 제1관절을 쓸고 가듯이 스쳤다.

그대로 혀의 몸통으로 손가락을 쓸면서 핥고는, 손톱 사이를 다정하게 지나갔다.

사람의 혀로 손가락을 핥는다는 지금까지 없었던 묘한 감촉이 들자 등골이 오싹해졌다.

내가 몸을 떠는 사이에도 아코의 혀는 손가락 끝을 건드리고, 손가락 상부를 천천히 움직이더니, 마지막으로 손끝을 살짝 빨고는—.

"응. 없어졌나요?"

"……엥?"

그리고 바로 떨어졌다.

아무런 여운도 없이, 아까움도 없이, 태연하게.

손끝이 난방 기류로 조금씩 마르는 감각만이, 그 시간이 사실이라는 걸 알게 해줬다.

어, 아니, 저기, 아코 씨? 나의 이 묘한 마음은 어디로 가야 하는 거야?

"아, 아코? 지금 그거, 뭐야?"

"뭐냐니, 뭔가요?"

아코는 정말로 다른 뜻은 없다는 듯이, 의아하게 이쪽을 바라봤다.

"그, 내 손가락을 핥았을 때 했던 수수께끼의 기술이라고 해야 하나, 테크닉이라고 해야 하나."

"그런 기술은 없거든요?! 루시안의 손가락을 핥을 수 있어서 해냈다! 라는 기쁜 마음은 있었지만요!"

"해냈다도 해냈다대로 이상하지만…… 그 혀 놀림은 무의식이었나……."

아코는 혀 놀림이 뭔가 에로하다는, 매우 곤란한 특기를 새삼스레 발견하고 말았다.

"혀 놀림이라고 하셔도, 그런…… 헉!"

딩동! 전구가 빛난 듯한 표정을 지은 아코가 나를 올려다봤다.

"루시안! 키스하죠!"

"오우, 이런 흐름에서 절대로 듣고 싶지 않은 부탁이 왔네!"

"괜찮잖아요! 밸런타인에 부부가 키스하는 건 평범하잖아요?! 해요, 꼭 해요!"

"지금 하면 쓸데없는 재능이 발휘될 것 같으니까 안 돼!"

"하자고요, 네?"

"혀를 날름날름하지 맙시다!"

상스러우니까 그만둬!

"자, 입이 쓸쓸하다면………… 좋아, 이거다. 이거라도 먹어."

"후엣? 뭔가요 이 으엑부붑?!"

가방에서 꺼낸, 오늘 받은 유일한 초콜릿을 아코의 입에 던져 넣었다.

"맛은 어때? 세가와 아카네 특제 수제 초콜릿이야."

"으으으으…… 으~읍!"

"……초코를 먹었다고는 생각할 수 없는 표정이 되었는데, 괜찮, 아?"

"으으으~읍, 으~으읍!"

아코는 루시안도 먹어 보세요, 라는 시선으로 말했다.

이 씁쓸한 표정을 보면 절대 먹고 싶지 않지만, 받은 것, 심지어 남에게 먹여놓고서는 나는 싫다는 말은 절대 할 수 없다.

"알았어. 그럼…… 잘 먹겠습니다……!"

입에 넣은 그 맛은, 끈적하고 꾸물거리고 질척하고, 부분적으로는 단데 전체적으로는 쓰다. 그리고 냄새는 왠지 탄 내가 난다.

오오, 신이시여. 아코의 혀 감촉을 이런 형태로 날려버리시다니.

내기해도 되는데, 아코도 내 손가락 감촉을 잊어버렸을 거다.

"어째서 이런 무시무시한 물건을 먹인 건가요, 루시안……."

"기적적으로 맛있을 가능성도 있다고 생각해서……."

"일어나지 않으니까 기적이라고 하는 거예요……."

어딘가에서 들어본 말을…….

"초콜릿의 신세계를, 보고 말았어요……."

"지금 키스하면, 키스의 맛이 신세계라고."

"원망할 거예요, 슈…… 으으으……."

아코는 매우 원망스럽게 말했다.

"아니아니, 먹인 건 나니까, 원망하려면 나로 하자?"

"아니에요. 저도 오늘 슈한테 받았어요. 수제 친구 초코라고……."

아코는 의자에 놔둔 자기 가방을 굉장히 슬픈 눈으로 보며 중얼거렸다.

"전부 먹지 않으면, 안 되겠죠……?"

"먹은 뒤에 피해자 모임을 결성해야겠어."

우리는 세가와의 초콜릿(?)과 필사적으로 싸웠다.

귀가한 미즈키에 의한 결사의 어레인지와 마스터가 준 멀쩡한 초콜릿(뭔가 굉장히 비싸 보였다)과 세테 씨가 준 찹쌀떡(정월에 남은 떡으로 생산)이 없었더라면, 우리의 혀는 죽지 않았을까?

나는 그 맛으로 큰 도움을 받았으니 불평할 생각이 없다. 하지만, 부탁이다. 세가와.

【아카네】솔직히 알고 있었어. 정말 미안.

【아코】절대로, 절대로 용서하지 않을 테니까요!

자기도 맛없다고 생각했다면, 남에게 선물하지 말라고……!

3장

"마음을 터놓고 이야기하죠"

And you thought there is Never a girl online?

■2월 15일 금요일

◆애플리코트 : 오늘은 나를 위해 모여줘서 정말 고맙게 생각한다.

마스터의 채팅 화면이 표시되었다.

◆애플리코트 : 진짜 목표하는 곳의 시험을 내일로 앞두고 있으니, 나도 몸이 움츠러드는 심정이다.

마스터는 지팡이로 바닥을 찌르며, 자랑스럽게 말했다.

◆애플리코트 : 제군의 선두에 서서, 무슨 수를 써서든 합격의 영예를 손에 넣겠다!

◆애플리코트 : 승리 보고를 기다려다오!

◆루시안 : 힘내, 마스터! 평상심!

◆슈바인 : 지지 말라고!

◆세테 : 노리는 건 수석이다~!

◆미캉 : 여유 여유.

◆아코 : 안 되더라도 괜찮아요!

◆애플리코트 : 이번만큼은 안 되는 건 안 된다!

여느 때의 모임장에서 책상에 둘러앉은 우리가 마스터를

격려했다.

오늘은, 내일 진짜 노리는 곳의 시험을 앞둔 마스터를 응원하는 모임을 개최했다.

이른바 응원회다.

◆세테 : 근데, 꼭 게임 안에서 응원회를 해야 해?

세테 씨가 당연한 의문을 제기했다.

나도 신경 쓰였는데, 마스터의 소집이란 말이지.

◆애플리코트 : 그건 내 희망이다.

◆애플리코트 : 얼굴을 마주하고 보내줬으면 좋겠다는 마음도 있었지만, 모두의 시간을 뺏는 것도 미안하지.

◆슈바인 : 전혀 신경 쓰지 않지만, 마스터에게는 부담을 끼치고 싶지는 않아.

◆루시안 : 마스터 본인이 그런 모임에 나올 때가 아니라는 건 동감.

그 점에서 온라인 게임이라면 집에 있으면서 이렇게 같은 곳에서 대화할 수 있다.

움직임도 감정 표현도 있으니 현실 같은 커뮤니케이션이 가능하다. 참으로 근사하다.

모든 수험생은 온라인 게임을 해야 한다.

그리고 푹 빠져서 성적을 떨구고, 나를 합격시켜주면 좋겠다고 생각합니다.

◆애플리코트 : 시간이 아깝다는 이유도 있지만, 그 이상으

로 말이다.

마스터가 커다란 땀을 흘리는 감정 표현을 꺼냈다.

그리고 한심한 표정을 표시하면서 말한 것은 이랬다.

◆애플리코트 : 나라는 인간은, 실전 직전에 쓸데없는 짓을 하면 예상 밖의 곤란한 일을 마주하는 타입인 거다.

◆애플리코트 : 섣불리 현실에서 회합을 열면, 귀가 중에 계단에서 떨어지거나, 생각지 못한 곳에서 넘어져서 손목이 염좌를 당하는 등, 이 타이밍에서 그런 일이 있을 수 있느냐는 사고가 일어나서 말이지…….

◆루시안 : 이, 있을 법해!

◆슈바인 : 이상한 곳에서 그런 감이 있긴 하지.

평소에도 사건이 끊이지 않는 마스터다.

그보다 이 멤버의 대부분이 그렇다.

그런 멤버가 모이면, 그야 내일에 지장을 줄 문제가 일어날지도 모른다.

모이지 않는다는 건 영단인가. 역시 마스터다.

◆애플리코트 : 나 본인은 몰라도, 모두가 책임감을 느끼게 되는 사태는 피하고 싶다. 따라서 온라인 미팅으로 했다.

◆루시안 : 사고는 일어나는 게 전제인 건가~.

◆세테 : 쓸데없는 걱정이라고는 단언할 수 없, 네…….

◆루시안 : 아코도 지각 위기라든가 날짜를 착각할지도 모르니까 직전에 틈틈이 연락하자고 이야기했었잖아.

◆아코 : 결혼해서 같이 살면 걱정은 필요 없어요. 결혼하죠.

◆루시안 : 미안, 안 해.

◆아코 : 우우우우우.

오늘의 프러포즈를 가볍게 거절하면서.

걱정하던 사고는 없이, 평온하게 응원회가 끝났다.

그 마지막에, 세테 씨가 이런 말을 했다.

◆세테 : 선배, 걱정되니까 쉬는 시간에 때때로 연락을 주면 기쁘겠는데, 안 돼?

◆슈바인 : 그거 좋네. 민폐가 아니라면, 제대로 하고 있다고 연락해줘.

◆애플리코트 : 흠. 적당히 긴장을 풀 수 있을 것 같군.

◆애플리코트 : 좋다. 짬이 나는 시간에 모두에게 보고하기로 하지.

◆루시안 : 무리하지는 말고~.

◆아코 : 열심히 해주세요!

■2월 16일 토요일

마스터의, 내년에서 나나 세가와, 아코도 실전을 앞두고 있는 대학 시험이 치러지는 이 날.

우연히 마에가사키 고등학교도 입학시험이 있어서 학교는

휴일이다.

뭣하면 시험장까지 응원하러 갈까 했지만, 그러다가 본인이 말하던 슬픈 사고라도 벌어지면 책임질 수가 없다.

그러나 혼자 기다리는 것도 영 진정되지 않는다.

그래서 핸드폰을 바라보며 마스터의 보고를 기다렸다.

【애플리코트】이제 곧 시험이 시작된다. 약간 긴장되는군.

오, 회의 채팅방에 반응이.

지금까지는 문제없었던 것 같다.

【아카네】제대로 시험장에 도착했지?

【나나코】잊은 건 없어? 화장실은 갔어?

【아코】열심히 해주세요!

세가와와 아키야마, 아코에게서도 곧바로 대답이 왔다.

세 사람도 마찬가지로 연락을 기다렸던 거겠지.

【애플리코트】지금 시즌에서 몇 번째 시험이라고 생각하는 거냐. 그런 걱정은 필요 없어.

【애플리코트】하지만 옆자리 수험생이 지우개를 잊어버렸군. 내 지우개를 빌려줬다.

【애플리코트】사고는 일어난다. 긴장을 풀면 안 되겠지.

호호오, 좋은 일을 했잖아. 역시 마스터야.

【아코】자기 지우개는 어떻게 됐나요?

"……앗."

듣고 보니, 설마 자기는 한 글자도 틀리지 않으니까 지우개는 필요 없다거나, 그런 사망 플래그를 세우지는 않았겠지?

【니시무라】자기 몫도 제대로 있겠지? 마스터?

【아코】괜찮은 거죠?

이쪽에서 메시지를 보냈지만, 대답은 없었다.

【니시무라】아, 벌써 시험 시작 시간이잖아!

【아코】으으으, 신경 쓰여요오오오!

이 사람, 그 후에도 몇 번이고 사건이 일어났다.

【애플리코트】오전 시험이 끝났다.

【애플리코트】예비 문방구는 가지고 있었지. 돈으로 어떻게 되는 부분은 당연히 풀 과금이다!

【아카네】그야 그렇지. 걱정할 필요도 없었어.

【애플리코트】점심시간에는 졸리지 않을 정도로, 고칼로리면서 목이 마르지 않는 점심을 먹는다.

【애플리코트】좋아하는 음식이라고 해서 염분이 많은 식사는 추천하지 않아.

【나나코】공부가 되네.

【애플리코트】음, 잠깐. 예상 밖의 사태가.

【아코】무슨 일인가요?!

【니시무라】마스터?!

【나나코】괜찮아~?

【아코】대답이 없다.

【니시무라】그냥 시체인 모양이다.

【아카네】오오, 애플리코트여. 떨어지다니 한심하구나.

【아카네】미안, 지금 이건 취소. 로그 지워줘.

【니시무라】허나 거절한다.

【나나코】시스템적으로 불가능!

【아카네】정말 미안, 마스터. 이건 보지 말고 용서해줘.

【나나코】예상 밖의 사태가 신경 쓰이니까 선배 빨리 봐줘.

【니시무라】마스터~, 절대 조바심 내지 말고, 서둘러 문제를 풀고 와서, 그리고 빨리 채팅 봐줘.

【아코】마스봐줘.

【애플리코트】미안하다. 옆자리 여학생이 쉬는 시간에 울음을 터뜨려서 말이다. 그 대처를 하고 있었다.

【나나코】대사건이야! 불쌍해라!

【애플리코트】게다가 주변 수험생이 민폐라는 표정을 짓더군.

【애플리코트】뒤쪽 학생은 혀를 차기도 했다.

【애플리코트】어쩔 수 없이 휴게실로 데려가서 이야기를 들었지.

【니시무라】꽃미남이냐고, 마스터.

【아카네】그야 긴급사태네.

【애플리코트】울음을 멈추게 하고, 둘이서 돌아와서 시험을 받아서 말이다. 대답이 늦어졌다.

【아카네】그래서, 마스터는 차분하게 봤어?

【나나코】어라, 대답이…….

【아카네】마스터어!

【니시무라】마스터?!

【아코】아까운 사람을 잃었네요.

【아카네】이번에는 실언하지 않아!

【아코】칫.

【아카네】뭘 기대한 거야?! 썰어버린다, 현실에서!

【아코】현실에서는 그만둬주세요!

【애플리코트】미안하다. 시험 전에 뒷자리 학생과 이야기를 나눴다.

【나나코】혀를 찬 사람?

【아카네】뭐야, 싸우기라도 했어?

【애플리코트】사과하더군.

【애플리코트】자기도 전혀 풀지 못해서 그만 짜증이 겉으로 나오고 말았다. 미안하다면서.

【니시무라】다정한 세계!

【애플리코트】모두 합격해서 동급생이 되자고 약속했다. 캠퍼스에서 만나는 게 기대되는군.

【애플리코트】아무튼 시험은 종료됐다. 커다란 사고가 없어서 다행이군.

【나나코】사고, 있었잖아?! 사건도!

【니시무라】왜 시험을 보기만 해도 트러블이 발생하는데.

【애플리코트】이런 법 아닌가? 다른 시험에서도 비슷한 일이 있었다.

【아코】인생의 이벤트 숫자가 설정 버그 난 거 아닌가요!

【아코】제 인생 이벤트는 루시안과 결혼 이벤트뿐이에요! 결혼하죠!

【니시무라】그 이벤트는 미개최라서 안 합니다.

【아코】인생의 난이도가 높아요오오오!

【아카네】그래서 제일 신경 쓰이는 게 있는데.

【아카네】전혀 시험에 집중하지 못한 것 같은데, 자신은 있어?

【애플리코트】흠.

【애플리코트】모처럼이니. 그 이야기는 내일 하지 않겠는가!

【애플리코트】기대하도록 해라. 제군!

【니시무라】신경 쓰여어어어어!!!

짐작하겠지만, 우리는 전혀 공부하지 못한 채 하루를 끝냈다.

■2월 17일 일요일

이날은 일요일.

작은 복각 이벤트는 있었지만, 그건 오전 중에 끝내고 저녁.

오늘의 메인 이벤트는 이쪽이다.

"오늘은 나를 위해 모여줘서 정말 고맙게 생각한다…… 이 말도 겨우 얼굴을 보고 말하게 됐구나."

우리는 이번에야말로 얼굴을 맞대고 마스터의 이야기를 들었다.

"응원회로부터 하루가 지나서, 이제 위로회다. 몇 번이나 불러내서 정말 미안하다."

"괜찮아. 불려온 건 한 번뿐이니까."

"마스터를 위해서라면 몇 번이든 올 수 있어요!"

"그럼그럼! 축하할 수 있어서 기뻐!"

"이예~이."

진짜 목표였던 대학의 시험, 그리고 시험 일정이 모두 끝난 그녀의 위로회다.

모인 장소는 노래방의 파티 룸.

부탁한 식사는 약간의 스낵류고, 드링크는 마음껏 마실 수 있는 플랜이다.

마스터라면 좀 더 좋은 곳을 찾을 수 있을 거고, 뭣하면 본인의 집에 커다란 공간이 있다.

그래도 이런 평범한 학생이 모이는 곳에서 하고 싶다는 게 본인의 희망이었다.

"어제 시험이 내가 진짜로 노리던, 그리고 마지막 시험 학교였다. 내 대학 수험은 끝난 셈이지."

노래방이라 당연히 설치된 마이크를 잡은 마스터가 말했다.

입가에서 조금 떨어진 마이크가 후우, 하고 숨을 내쉬는 소리를 주웠다.

"……끝났다."

그리고 나지막하게, 그러나 감정이 담긴 목소리가 새어 나왔다.

"끝났다. 끝난 거다!"

"마, 마스터? 히익!"

조심조심 말을 건 아코에게 고개를 확 들이민 마스터가 외쳤다.

"끝났다. 끝났다고! 끝이다! 수험은 끝이다! 나는 자유다! 하하, 하하하하하! 후우~하하하하하하하하하!!"

"추, 축하합니냐우우우우우!"

"괘, 괜찮아? 아코!"

초 하이텐션인 마스터에게 안긴 아코는 그대로 빙글빙글 돌았다.

마스터가, 마스터가 완전히 망가졌어!

"잠깐, 아코가, 아코가 망가지잖아! 마스터, 당신 괜찮은 거야?!"

"지금까지의인생에서제일괜찮고말고오!"

전혀 괜찮지 않아 보여!

"이, 이러니저러니 해도 압박감을 느꼈나 보네. 마스터."

"해방되었구나……."

"당연하지! 로그인해서 몬스터를 잡을 때마다, 이 시간에 입시 문제집을 더 풀 수 있는 게 아닌가 고민한다! 채팅을 하나 칠 때마다, 이 시간에 단어를 익힐 수 있지 않을까 후회한다! 그런 지옥이 마침내 끝난 거다!"

"알았으면 공부를 하지…… 그렇게 말하고 싶지만……."

우리도 남 일이 아니다. 머지않아 같은 고민에 직면하게 된다.

그렇게 생각하니, 해방되어서 미친 듯이 기뻐하는 마스터가 왠지 굉장히 부럽게 보였다.

"그래도, 선배."

손을 슬쩍 든 미캉이 발언했다.

"굉장히, 말하기 힘든데요."

"음!"

"재수한다는, 가능성에 대해서."

"너 이 타이밍에서 무슨 재수 없는 소리를 하는 거야?!"

"그래도 선배."

신경 쓰이지 않냐는 표정으로 이쪽을 보지 마!

그러나 마스터는 전혀 개의치 않았다.

"시험 치기 전이라면 몰라도, 이제 와서 결과는 변하지 않아! 겁먹지 않은 발언, 그 마음가짐은 좋다!"

후우하하하! 하고 웃고는,

"이미 대형 입시학원의 예상 해답과 대조한 가채점 결과,

일단 합격은 틀림없는 숫자가 나왔다! 걱정 따위는 할 필요 없는 거다, 미캉 군! 후우~하하하하하!"

"호오, 역시나."

"아~, 가채점이라는 수단이 있었구나."

이미 합격은 틀림없다는 예상이 나온 건가.

"그래서 기분이 좋은 거구나."

"그렇고말고! 이 내가! 전 학생회장이자 전 부장이자 길드 마스터인 내가! 불합격할 리가 없지 않나! 너희의 믿음직한 마스터라고!"

그렇게 크게 가슴을 펴고는,

"……물론, 기입란을 대폭 실수했다거나 그런 사고가 없다면, 말이지만. 그건 곤란하다. 정말로 곤란해. 1년 더는, 1년 더는 싫다……!"

갑자기 부들부들 떨고 있어!

"그런 사고가 정말로 걱정돼서, 시험 직전에는 만나지 않겠다고 했던 거구나……."

"어째서 시험이 끝난 뒤에 정서 불안정이 되는 건데."

"오히려 시험 전에는 기운찼는데 말이지?"

마스터의 연약함이 이런 곳에서 발휘될 줄이야.

인생의 일대 사건에서 계속 여유를 부리고 있는 것보다는 훨씬 호감이긴 하지만.

"내가 생각해도, 모든 게 끝났다는 개방감과, 그러나 아직도 크게 남아있는 불안감! 그 양쪽이 혼재돼서 나는 이제! 이제!"

"……정말로, 수고했어. 오늘은 마음대로 하라고."

"음! 나는 이날을! 몇 달이나 기다려온 거다!"

마스터가 이렇게 될 만큼 수험은 괴롭구나.

이런 이벤트 러시 정도로 바쁘다고 말하고 있는 나나 아코는 살아서 클리어할 수 있을까?

"이 미적지근한 기분을 날려버린다! 얘들아, 노래하고 춤추자!"

""이예~이!""

모두 함께 주먹을 내밀자,

"그리고 OG로서 말해두는데, 기말고사는 힘을 빼지 말도록. 공부는 매일의 축적이 중요하니까 말이지."

"자기는 전부 끝났다고, 치사하잖아요오."

"후우~하하하하하!"

즐거워 보이네, 젠장.

마스터는 그대로 아코와 후타바를 끌어안고, 「부르자!」 외치더니 마이크를 쥐고 노래방 화면 앞으로 향했다.

아코도 후타바도 맹렬하게 싫어하고 있지만, 내버려 두면 마스터가 혼자 부를 테니까 걱정하지 않아도 돼.

"니시무라, 니시무라."

그때, 세가와가 파티 룸 구석에서 내게 손짓을 보냈다.

"왜 그래, 왜 그래."
"정기 보고, 잘 부탁."
그러고 보니 저번에 한 이후로 조금 시간이 지났던가.
세가와에게는 확실히 상황을 전해줘야겠지.
"라저. 딱히 대단한 일은……."
아아, 있었나. 저번에는 밸런타인 아침이었으니까.
"아코가 조건을 바꿨어. 최속 결혼이 아니어도 된대."
"응? 그 아코가 타협했다고?"
세가와도 놀라나. 그렇지. 나도 깜짝 놀랐다.
"20세가 되면 결혼하자더라. 멀쩡하게 조건을 완화해서 놀랐어."
"흐~응."
세가와는 그렇구나, 하고 잠시 고민했다.
"그래도 그거, 아무것도 달라진 게 없잖아."
"그렇단 말이지."
고등학생 주부에 비하면 대학생 주부는 일반적이겠지. 그러나 최대의 문제는 그게 아니다.
"나는 책임을 질 수 있는 어른이 되면 결혼하고 싶은 거니까, 결국 학생이어서는 의미가 없어."
"장래의 아이가 나처럼 고생할 가능성은 전혀 달라지지 않으니까."
"세가와 수준의 고생으로 그친다는 보장도 없고……."

나와 아코 두 명이 전부 글러먹은 인간이 되어버리면, 가까운 친구에게조차 걱정을 끼칠 것 같다.

“아직 대학 합격조차 하지 않았는데, 20세가 되면 하자고 약속하는 것도 무서우니까.”

“재수에서 아직 대학에 들어가지 못한다거나.”

“현실적인 말을 하는 건 그만둬.”

평범하게 가능하니까!

“뭐, 아코치고는 제대로 된 타협안이긴 하지만.”

“솔직히 꽤 흔들렸어. 흔들림 지수 40% 정도까지는 갔다고.”

“꽤 올라갔네.”

초콜릿 링이나 핑크색 혼인신고서 같은 우스갯소리로 나오면 반대로 냉정해지겠지만, 분위기를 진지하게 깔고 공세를 걸어오면 밀릴지도 모른다.

“정말로 곤란해. 이대로 계속 거절한다고 아코가 포기해 줄지도 알 수 없고. 수험도 끝났으니까, 마스터한테 상담해 볼까?”

믿음직한 마스터에게 부탁할 타이밍이 왔는지도 모른다.

그러나 세가와가 힐끔 시선을 움직여 대단히 흥겨워하는 마스터를 시야 끝으로 바라보더니,

“그건 일단 보류하는 걸로. 초조해하면 안 돼. 우선은 보류.”

“안 돼? 마스터라면 뭔가 타개책을 줄지도 모르는데.”

“보통은 그렇겠지. 하지만 이번에는, 확신은 없지만—.”

"저기저기? 아카네? 니시무라?"

"넷?!"

아무런 기척도 없이, 뒤에서 아키야마의 목소리가!

"까, 깜짝 놀라게 하지 마."

"아무 소리도 안 나서 전혀 눈치채지 못했어……."

"발소리 지우고 걷는 게 버릇이 됐거든."

"분명 거짓말이겠지만, 진짜 같으니까 그만둬."

아키야마에게는 절대 그럴 리가 없다고 단언할 수 없는 구석이 있다.

"근데, 무슨 일이야? 나나코."

"『무슨 일이야?』가 아니잖아. 둘이서 소곤소곤."

우우, 하고 귀여운 동작으로 뺨을 부풀렸다.

"왠지 요즘, 두 사람이 친해 보이네."

"그건 공통된 적과 싸우기 위해서야. 그렇지?"

"그럼그럼, 단결해서 이겨야지!"

아코의 공세에 대항하기 위해 세가와에게 도움을 받고 있을 뿐이다.

"그래도 그래도, 처음에는 나도 같은 편이었잖아? 근데 지금은 따돌리고 있잖아!"

"그렇지는, 않은데……."

좋든 나쁘든, 강한 아키야마에게는 나의 자신감 부족이나 장래의 불확신에 대해 구석구석 말하기가 힘들어서 말이지.

뭐라고 설명할지 망설이는 내 앞에서,

"그런고로!"

아키야마는 마스터처럼 허리에 손을 대며 말했다.

"저는 아코의 동료 악마가 되기로 했습니다!"

"에에엑!"

"나나코가?!"

아키야마도 아코 쪽에 붙는다고?!

처음부터 약간 아코 편을 든다는 기분은 들었지만, 배신하는 게 좀 빠르지 않나요!

"어째서 아코의 동료 악마가?! 돈인가요, 아니면 권력인가요?!"

"그쪽이 더 즐거워 보이기 때문입니다!"

"아코 정도의 재미는 내가 제공할 수 없어!"

그야 보기만 해도 즐거운 건 아코 쪽이겠지! 그 녀석 엉망진창 저지르니까!

"어째서야! 나나코까지 비상식(非常識) 사이드로 가버리면 우리 길드는 어떻게 되는데?!"

"즐거운 느낌이 될 테니까 오케이~!"

"즐거운지 아닌지로 정하지 마!"

이 분위기, 완전히 아코 쪽의 못난 인간이다!

완전히 오염됐어!

"니시무라. 스무 살이 되면 결혼하자는 부탁 들었다면서?

고등학생이라면 몰라도, 어른이 되어서도 안 된다니 아코가 불쌍해!"

"나이 문제가 아니라, 제대로 책임을 질 수 있는 어른이 되면 결혼을 말이죠—."

"스무 살까지 책임 질 수 있는 어른이 되면 되는 거야!"

"된다고 말한다고 될 수 있는 편리한 생물이 아니라고오오오!"

젠장. 적일 때는 강하지만 아군이 되면 약한 계열의 유닛이면 좋을 텐데, 이 사람은 아군이라도 강하고 적이라도 강한 치트 타입이잖아!

"훗훗훗훗훗."

흔들흔들 다가오는 검은 그림자.

말할 것도 없다. 만악의 근원인 아코!

"큭, 아코 녀석…… 내 동료를 족족……!"

"유감이었네요! 최강의 유닛인 세테 씨는 이미 이쪽의 것이에요."

최대의 아군을 손에 넣은 아코는 손가락을 척 겨누면서 강하게 말했다.

"자, 루시안. 이 이상의 저항은 무의미해요! 얌전히 저와 결혼해주세요!"

"악역풍으로 말해도 안 돼!"

"스무 살까지는 기다릴 테니까요!"

"내가 한 사람 몫을 할 때까지 기다려!"

"……곤란하네."

세가와는 굳어진 미소를 지으며 뺨을 긁적였다.

줄어드는 아군에, 늘어나는 아코의 동료 악마.

서서히 도망칠 곳이 줄어드는 감각이 우리를 덮쳐왔다.

"업무를 청산할 때도 가까워요, 루시안! 2월도 중순이니까요!"

"업무가 아니라 업보거든?!"

그러나, 아직 그렇게 몰리지는 않았다는 기분이 들 정도로, 아코는 변함없었다.

■2월 18일 월요일

오늘은 베스트 드레서&하우징 콘테스트 결과 발표일.

결과에 관해서는 이쪽에서 확인해 주십시오.

◆세테 : 이번에는 입상도 노릴 수 있을 줄 알았는데……낙선…….

◆고양이공주 : 심혈을 기울이고 또 기울인 고양이공주 씨 로브가, 어째서 안 된 건가냐…….

즉흥 소재가 먹혔다면 모를까.

각 방면의 프로가 태연하게 끼어드는 콘테스트에 정면에

서 도전해서 이기는 일은 있을 수 없다.

◆루시안 : 참고로 아코, 어떤 걸 응원했어?

◆아코 : 봄에 딱 어울리는 로브였는데요…….

입은 것은 레이스가 들어간 예쁜 분홍색 로브였다.

세심하게 염색한 건 물론이고, 어느 파츠를 조합했는지 나로서는 알 수 없을 만큼 제대로 된 만듦새였다.

◆루시안 : 잘 만들었는데, 이걸로도 안 됐던 건가.

◆고양이공주 : 아코는 로브의 이름이 제일 문제였다냐.

고양이공주 씨가 그런 말을 했다.

이름? 이름으로 순위가 떨어지다니, 그런 일이 있어?

◆루시안 : 대체 어떤 이름으로 응모한 거야? 벚꽃 로브라든가?

◆아코 : 『상위에 입상하면 루시안이 결혼해줄 게 틀림없는 로브~봄 신작~』이에요.

◆루시안 : ……그야 떨어지겠지…….

그런 이름의 로브, 본 순간 눈을 돌릴 거다.

◆아코 : 입상은 하지 못했지만, 아차상으로 결혼해주지 않을래요?

◆루시안 : 로브 이름이 안 되니까, 거절하겠습니다.

◆아코 : 어째서인가요!

이유를 모르는 게 제일 문제인 거잖아!

■2월 19일 화요일

“자, 다들! 3학기는 기말고사뿐이니까, 힘을 뺐다가는 만회할 기회가 없다냐! 전날의 공부가 모든 걸 정한다고 생각하고, 성실하게 노력하라냐!”

기말고사 전날.

부 활동은 금지인 시기라서, 대신 학생지도실에서 사이토 선생님의 개인 수업이 이루어졌다.

친한 사람들밖에 없어서 선생님은 처음부터 고양이공주 모드다.

“내일은 현대문학도 있다냐! 기합을 넣고 하라냐!”

“그래도 고양이공주 씨. 정기 시험공부를 해도 수험에는 도움이 안 되잖아요.”

일단 수험을 위해 노력하려고 하는 아코가 부~부~, 불만의 목소리를 높였다.

“그~렇다니까. 사립을 노린다고 각오한 시점에서, 솔직히 내신은 아무래도 좋단 말이지.”

“뭐, 그렇지. 졸업할 수만 있으면 되긴 해.”

실제로, 학교 시험공부를 하는 것보다는 같은 시간에 수험 대책을 세우는 게 나을지도 모른다.

내가 그런 식으로 생각하고 있는데, 선생님은 자조적으로 훗, 하고 미소를 지었다.

"얘들아. 그렇지 않다냐. 잘 들으라냐. 들려주겠다냐."

그리고 싸늘할 정도로 무감정한 목소리로 이어갔다.

"2학년 현대문학 시험. 이번에는 내가 만들었다냐. 다른 선생님의 손을 빌리지 않고, 모든 문제를 내가 만든 건 처음이다냐."

"네, 네에."

"그야말로 기합을 넣어서 만들었다냐. 각 대학의 기출문제를 차분하게 읽고, 그대로 수험 문제로 내더라도 이상하지 않은, 그러면서도 수업 내용을 들었으면 확실히 답을 낼 수 있도록. 내가 생각해도 근사하고 좋은 문제로 만들었다고 생각한다냐."

"그건 굉장히 근사, 하네요?"

"그런데! 그걸 말이다냐!"

선생님은 입가에 주먹을 꾸우욱 들이대고는 부웅 내리쳤다.

"그 무라코시 주임! 뭐라고 말했다고 생각해? 『아, 어디서 본 듯한 문제뿐이군요. 뭐, 처음이라면 이런 법 아닐까요?』라고 지껄여댔다냐! 본 적이 있다?! 당연하다냐! 시험은 어디서 본 듯한 문제를 얼마나 확실히 풀 수 있는지에 대한 테스트다냐?! 어디서 본 듯한, 그래도 풀어본 적이 없는 문제야말로 가장 좋다냐! 그렇게 생각하지 않는가나?! 타마키?!"

"네. 고양이공주 씨의, 말 그대로예요!"

"그렇다냐. 그렇다냐. 최고의 문제를 만들었다냐! 그런데 그

무라코시는…… 절대로, 절대로 용서할 수 없다냐…… 망년회에서 술을 대접해줄 거라 생각한다면 큰 오산이다냐……."

"워, 원한이 깊네요."

선생님도 선생님의 고생이 있는 모양이다.

"그만큼 고생한 시험이니까, 다들 제대로 풀어줬으면 좋겠다냐!"

"그런 말을 들으면 의욕도 생기지만……."

"그래도 시험공부에서는 아무래도 현대문학이 아니라 암기 과목에 시간을 빼앗긴다니까~. 고양이공주 선생님에게는 미안하지만, 오늘 노력해도 현대문학 성적은 그리 달라지지 않을 거야."

"……현대문학 선생님으로서는 고민되는 지점이다냐."

시간을 들여서 암기한다고 성적이 오른다고 할 수 없는 게 현대문학의 곤란한 점이다.

그런 의미에서는 선생님의 수업이니까 언제나 성실하게 듣는 우리가 어느 의미로는 유리하다. 제대로 수업을 들었던 곳에서 나오니까.

"1학년은 문제가 다른데요. 저는 상관없죠?"

넘어가 주시지 않을까? 후타바는 그러면서 허리를 들었다.

호오, 도망칠 수 있다고 생각하지 말라고?

"확실히 1학년 문제는 무라코시가 만들었으니까 아무래도 좋다냐. 그래도 성적을 떨어뜨리는 건 용납할 수 없다냐. 알아들은 건가냐?"

"어쩔 수 없네요, 냐아."

울음소리를 복창한 후타바는 얌전히 교과서와 마주 봤다.

"나는 추천 노리고 있으니까 힘낼게!"

"추천은 그렇다 치고, 귀찮은 일을 피할 정도로는 해놔야겠지."

아키야마도, 세가와도 성실하게 노트를 펼쳤다.

그래. 어차피 집에 돌아가서 공부할 바에는 여기서 노력하자.

"좋아. 조금 집중하자, 아코."

"네에…… 앗! 맞아요, 루시안. 제가 시험에서 평균점을 받으면 결혼해—."

"안~돼~!"

"어째서인가요?! 노력할 모티베이션이 된다고요!"

"장래에 아이한테 말할 수 있어? 엄마가 시험에서 평균점을 받아서 결혼했다고?"

"말할 수 없어요!"

"그렇겠지."

꽤 억지가 되어가는 프러포즈를 무시하고 문제집을 들여다봤다.

기말고사만, 기말고사만 끝난다면……!

■2월 20일 수요일

기말고사 첫날

"루시안…… 이 시험이 끝나면, 결혼해주세요……."

"그건 안 돼……."

■2월 21일 목요일

기말고사 둘째 날

"루시안…… 결혼……."

"안 돼……."

■2월 22일 금요일

기말고사 마지막 날

"루시…… 결호……."

"안…… 돼……."

이미 숨조차 헐떡이고 있지만, 시험은 끝났다.

무사히 끝난 건지, 아니면 사고가 있었는지는 돌려받을 때까지 모른다.

아무튼 시험은 끝났다.

그건 즉—.

"우리는! 자유다아아아아아아아!"

"해냈어요오오오오오오오!"

이 지옥에서, 해방된 거다!

■2월 23일 토요일

"역시 말이지. 우리는 이상하다고 생각해."

세가와의 그런 한마디로, 하루가 시작됐다.

"아침 일찍부터 무슨 소리냐, 슈바인이여."

"그 아침 일찍이라서 하는 이야기야! 이걸 봐!"

세가와는 핸드폰 화면을 홱 내밀었다.

화면에 있었던 건 우리 전원의 단톡방. 어제 로그다.

【애플리코트】내일부터 시험 뒤풀이로 1박 2일의 작은 여행을 떠난다. 참가 가능한 사람은 거수하도록.

마스터에게 받은 연락이 남아있다. 타임스탬프는 2월 22일, 15시 50분. 기말고사가 끝난 타이밍을 계산해서 보낸 거겠지.

"이게 어쨌다는 건가요~?"

"어제 연락이잖아?"

잠기운 때문에 흐물흐물한 아코와 달리 세가와는 아침부터 기운찼다.

"이후도 보라고. 이거!"

다음 로그는 이랬다.

【후타바】내일은 놀러 가서 무리에요.

【미즈키】미캉하고 같이 가는 거라, 죄송합니다.

【후타바】애초에, 여행 전날에 권유라니 대체 무슨 소리? 바보?

그런 대화가.

"이거 봐!"

"이거 봐, 라고 해도…… 두 사람 모두 약속이 있으니까 안 된다는 거잖아?"

"그게 아니야! 미캉도 여동생도 평범한 거야!"

세가와는 분개하다는 듯이 아스팔트를 밟았다.

"어제 여행 연락이 온 것도! 평범하게 참가하는 우리도! 아무리 생각해도 이상하잖아!"

……그런가?

"……듣고 보니 그럴지도."

"무슨 일이 있던 건 아니라서 예정은 비어있었지만…… 여행은 놀랐네."

"준비하기 힘들었어요~."

아코도 흐물흐물 고개를 끄덕였다.

이 여행, 시험 전까지는 계획조차 없었다.

어제 저녁에 갑자기 듣고, OK한 멤버만 모인 형태다.

온 건 나, 아코, 세가와에 아키야마, 사이토 선생님과, 제

안자인 마스터.

현대통신전자 유희부의 무모한 행동에 물든 멤버가 모였다고 할 수 있다.

“자, 잠깐. 확실히 이번에는 갑작스러운 소집이었다. 나도 여유가 없어서 이런 형태가 된 건 미안하게 생각한다.”

뭐, 수험이 있었으니까. 마스터.

“하지만 평소였다면 일주일 전에는 연락하지 않았나? 그럼 문제는―.”

마스터가 씁쓸한 변명을 하자―.

“애초에 여행 연락이 일주일 전이라는 시점에서 이상한 거야!”

“크그극…… 어, 어쩔 수 없지 않나! 모두 함께 여행을 가고 싶다고 생각했으니, 하지 않을 수는 없었다!”

마스터는 진짜로 마스터였다.

“모였으니까 상관없잖아요~.”

“아코는 태평해서 좋겠네…… 정말이지. 내가 부장인데…….”

“숙박인 거지? 이런 아슬아슬한 시기에 예약할 수 있었어?”

“음. 예약은 됐다. 된 것 자체가 오히려 불안하기도 하지만…….”

“어디로 갈 생각인데…….”

예약된 게 불안한 곳이라니 대체 어디야.

정말로 우리는 아무 일 없이 돌아갈 수 있을까.

"걱정할 것 없다. 한 번이 아니라 몇 번이고 간 적 있는 곳이다. 사이토 교사, 부탁합니다."

"그래그래. 얘들아, 차에 타렴."

여섯 명이 탈 수 있는 미니 밴에 짐과 함께 올라서, 오랜만에 여행이다.

"왠지 이렇게 타니까 여름 합숙이 떠오르네."

"예리한걸?"

조수석에 탄 마스터가 씨익 웃으며 말했다.

그렇다면, 목적지는—.

호텔 플로레스.

나도 잊을 수 없는 이 이름.

예전 레전더리 에이지와의 콜라보 기획을 개최했을 때, 묵으러 왔던 호텔이다.

"일부러 여기라는 건, 또 초대라도 받은 거야?"

"불려온 건 아니지만, 그쪽은 기억하고 있던 모양이라 예약을 넣으니 크게 기뻐하더군."

호텔 안에서 범죄에 말려든 손님이 다시 묵으러 왔으니까 안심하는 건 이해가 된다.

그 피해를 받은 사람이 나와 아코라는 게 문제지만!

"괜찮아? 아코. 싫은 추억이 남지는 않았어?"

가짜 루시안의 트라우마 같은 게 남지 않았나 물어봤다.

"끝난 후에도 한 번 왔었잖아요. 괜찮아요."

아코는 헤실헤실 가볍게 웃었다.

"게다가 지금 생각하면, 그리 큰일도 아니었고요."

당시에는 쇼크를 받았던 아코는 태연한 표정으로 말했다.

"큰일이 아니었다니……."

"야한 셀카, 벌써 루시안한테 보낸 적 있고, 말이죠?"

"뭐어?! 무슨 소리야, 아코?!"

너무 놀라서 목소리가 뒤집혔다고!

내가 언제 야한 셀카 같은 걸 요구했어?!

"우와…… 그건 나도 기겁하겠네……."

"유출 주의야~!"

"이러니까 요즘 애들은……."

"다들 바로 믿지 말라고! 누명이야!"

나는 필사적으로 부정했지만, 아코는 불만스럽게 말했다.

"에이~, 보냈잖아요~."

"언제인데! 내 로그에는 아무것도 없다고?!"

"수학여행 전에, 속옷을 사러 갔을 때요."

"…………."

기억을 뒤졌다.

아코가 수학여행에서는 세련된 속옷이 필요하다고 해서, 어째서인지 속옷 사러 가는 데 동행했었다. 그리고 가게에 들어가는 건 싫어서 밖에서 기다렸더니, 내 핸드폰에—.

"보냈었잖아아아아아아!"

"거봐요!"

"거봐요, 가 아니라고! 그게 아니잖아! 그건 아코가 자주적으로 보낸 거잖아!"

내가 요구한 게 아니니까 누명이라고 생각합니다!

확실히 아코의 야한 셀카가 핸드폰에 보존된 건 인정하지만!

"똑같은 일이 있었어도, 루시안에게 직접 보냈을 거예요! 나쁜 사람에게는 보여주지 않아서 안심이네요!"

"그러니까 안심이라는 발상은 잘못됐잖아……."

"진짜로 정보 관리에는 주의하라고, 니시무라."

"오히려 아코가 잘못 송신하는 게 무서워. 내가 상대라고 해도 보내지 않아도 되니까."

그런 요구는 하지 않는다고. 꼭 보고 싶다고 하면 직접 부탁할 각오가 있다.

"두 사람의 문제가 없다면 다행이군. 오늘은 여기서 1박할 예정이어서."

마스터는 가자고 재촉하며 호텔로 발을 들였다.

"참고로, 일부러 여기에 묵으러 온 건, 혹시 또……."

"그 혹시, 다."

로비에는 기억에 남은 거대한 포와링 인형이 마중하듯이 의기양양하게 기다리고 있었다.

“현재 콜라보레이션 기획, 제2회를 진행 중이다!”

“호호오~.”

그렇군. 복각 이벤트의 일환인가. 여기도 복각 콜라보를 하고 있구나.

로비에는 저번과 마찬가지로 여기저기에 LA 캐릭터가 장식되어 있었다.

호텔 분위기를 무너뜨리지 않는 장식이고, 게임 안에 있을 법한 퀄리티다.

두 번째라서 그런지, 전시에도 익숙함이 느껴졌다.

“전에 왔을 때도 이랬으니까, 왠지 익숙한 광경이네.”

“오는 게 세 번째니까~.”

“나는 한 번도 못 봤는데?!”

아키야마가 저요저요! 라며 쓴소리를 냈다.

“아~, 나나코는 없었던가.”

“어째서 권유해주지 않은 거야!”

“그때는 부원도 뭣도 아니어서 그런 게 아닐까.”

“불러줬으면 왔을 거야!”

당시에는 부원이 아니었던 아키야마의 리벤지 안건이 무사히 끝난 건 다행이라 치고.

그 여름으로부터 1년 이상 지나서, 마침내 두 번째 콜라보가 열린 건가.

“콜라보하는 것도 몰랐어. 직전인데 용케 예약을 잡았

네…… 아아, 그런가.”

내가 말하고 납득했다.

“출발 전에 마스터가 불안하다고 말했던 건 이래서였나.”

“그래. 바로 예약을 잡아버린 게 불안했던 거다. 콜라보 기획이 인기가 없는 건가 싶어서 걱정이었지.”

“LA를 위해 호텔까지 묵으러 오는 거, 대체 얼마나 진심인 팬인가 싶기는 하니까.”

우리는 왔지만 말이지! 상당한 팬이니까!

“슈, 슈. 마스터 포와링이에요! 저 씨익 웃는 얼굴!”

굉장한 팬인 아코가 로비 중앙에 있는 포와링 인형을 가리키며 폴짝 뛰었다.

“저거 안으면 기분 좋아요. 같이 가봐요!”

“나는 됐어. 소녀 선배를 방해하면 미안하잖아.”

확실히 마스터 포와링 주변에는 어린 소녀 선배의 모습이 있었다. 끌어안고 사진을 찍는 모양이다.

그래도 인형은 꽤 크니까, 다른 쪽에서 해도 전혀 문제없어 보이는데.

“게다가, 딱히 저런 건 흥미 없으니까.”

저번에 왔을 때는 두근두근하던 세가와가 도도하게 등을 돌렸다.

그 뒤에서.

“…………응?”

"…………(끄덕."

아코의 시선을 받은 아키야마가 끄덕였다.

그리고 두 사람은, 함께 세가와의 등에 손을 돌렸다.

"그런 소리 하지 말고, 가자고요!"

"렛츠 고~, 다~이브!"

"잠깐, 누르지 마. 잠깐, 흐거업!"

세 사람이 마스터 포와링의 배로 돌진했다.

세가와는 화낼 줄 알았지만, 생각지 못한 포와링의 부드러움에 누그러졌는지 그대로 푹 잠겨버렸다.

"이야~, 포근해지네에."

"평화로운 광경이구나."

마스터는 음음, 고개를 끄덕이며 만족스러워했다. 이 광경을 보고 싶었다는 듯하다.

"마스터는 안 가도 되겠어?"

"그럴 나이는 아니지."

"한 살밖에 차이 나지 않잖니."

선생님이 남 일 같은 표정으로 말했다.

그 손이 미묘하게 꾸물꾸물 움직이는 게, 약간 흥미가 있다는 걸 알 수 있었다.

애초에 선생님도 몇 살 차이가 나지 않으니까—.

그래, 이거다. 후후후, 좋은 생각이 떠올랐어.

"…………응?"

가볼까? 마스터. 나는 시선으로 물었다.

"…………(끄덕"

마스터도 갈 수밖에 없다는 듯이 끄덕였다.

역시 마스터, 이해력이 빨라.

나와 마스터는 살며시 선생님 뒤로 돌아가서, 그 등에 손을 댔다.

"어? 저기, 니시무라? 고쇼인?"

"사양할 것 없어요, 선생님. 하고 싶을 때는 하자고요!"

"저희도 함께하겠습니다. 자, 동심으로 돌아가죠!"

"하고 싶다는 말은 한마디도 안 했다냐아아아아아! 냐훗!"

셋이 함께 마스터 포와링의 배로 돌진했고, 포와~앙 하고 잠겼다.

오오, 이거 푹신하고 상당히 괜찮은 감촉이네.

"……나쁘지 않다냐아."

선생님도 포와~앙 파묻혔다.

"좋지 않은가. 집에 한 마리 갖고 싶군."

"고쇼인. 이벤트가 끝나면 사지 그래?"

"진짜로 할 것 같으니까 그만두죠?"

그 호화 저택에 포와링 인형이 눌러앉다니, 위화감밖에 없으니까!

프런트에 짐을 맡긴 뒤.

"으음, 어쩌지? 이거, 전에 봤던 게 대부분이네."

"그런 것 같네."

이벤트 개요를 본 세가와가 고개를 갸웃했다.

예전과는 진행 방식이 조금 달라져서, 그 자리에 갈 때마다 로그인할 필요는 없어졌다.

대신 코드가 적힌 전용 티켓을 받아 호텔 방, 혹은 돌아가서 자택에서 사용하면 특전을 받거나 이벤트를 볼 수 있는 사양이다.

그러나, 그 내용은 대부분 변하지 않았다.

"특전 붙은 선물하고 아이템 붙은 레스토랑이 있지 않았나요?"

"그 특전도 시대에 뒤처졌으니 말이지……."

아코가 의문을 던지자, 마스터가 입가에 손을 대며 복잡한 표정으로 답했다.

"이른바 호텔 버프가 최고 성능이었던 시대는, 농원과 요리의 업데이트로 막을 내렸다. 나는 과금을 굉장히 좋아하지만, 무의미하게 쓰는 건 내 방식이 아니야—."

거기까지 말한 뒤, 마스터는 눈을 반짝였다.

"—사실 딱히 그런 건 아니니까, 모두가 간다면 기꺼이 어울려줄까."

"우리는 쓸데없는 과금을 하지 않는 타입이니까 그만둬."

"그럼 그만둘까……."

돈은 중요하다. 향신료로 그친다면 그쪽으로 끝내자.

여러모로 고민한 끝에, 그럼에도 필요한 물건은 사양하지 않고 사지만 말이지!

"나는 한 번도 못 봤으니까, 한 바퀴는 돌고 싶어!"

"나나코는 첫 체험이니까. 나도 어울려줄게."

"움직이는 고양이귀, 염색용으로 하나 더 필요했다냐……."

세 사람은 다시 콜라보 기획을 돌려는 모양이다.

함께 가도 되겠지만, 「저도 갈래요!」라고 바로 편승하지 않는 아코가 신경 쓰였다.

"아코, 우리는 어쩔까?"

"그게…… 잠깐 가고 싶은 곳이 있는데요……."

아코는 우물쭈물 말을 찾았다.

나는 그녀가 가고 싶다면 어디든 가려고 말하려고 했는데—.

"아아, 아코와 루시안에게는 좋은 기획이 있다. 두 사람이기에 즐길 수 있는, 이번뿐인 행사다. 보러 가봐라."

"그, 그래요. 그거예요! 꼭 가죠, 루시안!"

"그래, 알았어."

어째서 마스터가 아코가 가고 싶은 곳을 아는 거지? 약간 의아했지만, 두 사람에게 이끌려서 뚜벅뚜벅 이동했다.

찾아온 곳은 호텔에 인접한 채플.

전에 아코와 둘이서 온 적이 있는 곳이다.

LA에 있는 교회는 이곳을 모델로 만들어졌기에 꽤 익숙하다.

전에 아코와 왔을 때는 개방되어 있었지만, 오늘은 그렇지 않다.

"결혼식을 하고 있네요."

"식이 한창인가. 안에는 들어갈 수 없겠네."

때마침 교회 문을 열고 신혼부부가 나오는 순간이다.

게다가, 저건—.

"LA의 결혼 의상……이지?"

"그러네요?! 저도 그게 아닌가 했어요!"

"날카롭구나. 그래. 저건 LA 속에서의 결혼식을 모티브로 한, 레전더리 에이지 콜라보레이션 결혼식이다!"

"게임 안의 결혼식을 현실에서 한다고?!"

그런 걸 개최하는 사람이 있어?!

"뭘 놀라는 거냐. 국내 최대급 게임에서 똑같은 모집을 받았더니 신청이 쇄도했다는 초인기 콘텐츠인데."

"그런 게임하고는 유저수가 다르다고!"

확실히 실제로 했었지만!

그런 게임하고, 작고 따스한 LA를 비교해서는 안 돼!

"이쪽도 밀리지는 않는다고? BGM도 LA 기준, 의상도, 신부의 대사도, 게다가 게임 안에서 결혼반지로 가장 많이 쓰이는 성은(聖銀)의 반지를 모티브로 한 결혼반지까지 세트다."

"근사해요! 이게, 이거야말로 저의 결혼식이에요!"

아코의 텐션이 급상승했다!

그렇구나. 아코는 이걸 보러 온 거구나!

"흥겨워하고 있는데 미안하지만, 타인의 결혼식을 멋대로 봐도 되는 거야?"

실례 아냐? 내가 그런 의문을 품자,

"마음껏 보세요. 이 예식은 레전더리 에이지와의 합동 기획이라, 꼭 여러분이 봐주셨으면 좋겠다고 해서 신랑 신부의 찬성을 받았으니까요."

근처에 있던 스태프가 그렇게 해설해주었다.

"자세한 설명 감사합니다."

그런 특수한 예식이었나.

확실히 신기한 예식이어서 그런지, 평상복을 입은 손님도 멀리서 지켜보면서 함께 박수를 보냈다.

우리도 저 안에 끼면 되는 건가.

"부디 여러분도 함께 신랑 신부를 축복해주세요."

"저, 저기!"

그때, 아코가 스태프에게 말을 걸었다.

웬일이지? 아코는 모르는 사람에게 말을 걸 때는 꽤 용기가 필요한 속성인데.

"무슨 일이신가요?"

"저기, 레레레레전더리 에이지의 결혼식 말인데요!"

"네."

"신청은 아직 받나요?"

웬일로 기합을 넣어서 남에게 질문을 한다 싶더니만…… 대체 뭘 묻는 거야, 아코오!

"기다려, 기다려! 결혼 예정도 없는데 묻지 말라고."

"그치만, 저희가 결혼한다면 이 예식밖에 없잖아요!"

"다른 선택지도 무수하게 많거든?!"

모처럼 산 젝○에게 사과해! 근사한 예식이 실려있었잖아!

"아아…… 죄송합니다."

우리가 작은 목소리로 이야기하는 사이, 스태프 형이 고개를 숙였다.

"이쪽 기획은 응모가 종료돼서…… 기대에 부응하지 못해 죄송하네요."

"그, 그럼 다음에는 언제 하나요?"

아코가 매달렸지만.

"지금 시점에서는, 다음이 언제라는 안내도 드릴 수 없는 상태라……."

"……그런, 가요……."

우회적인, 다음은 없다는 말을 들은 아코는 마지못해 어깨를 떨궜다.

"그렇게 풀 죽지 마, 응? 아아, 형. 감사합니다."

"희망을 들어드리지 못해 마음이 아프네요. 일반 예식이라면 언제든 받고 있으니 상담해주세요."

다시 깊이 고개를 숙인 형은 떠나갔다.

역시 식장 스태프, 막힘 없는 대응! 꽃미남!

"으으, 이 결혼식이 하고 싶었어요……."

"뭐, 10년 후에 또 개최되기를 빌자."

"10년이나 지나야 하는 건가요?!"

기간은 몰라도, 아직 나중 이야기니까.

그때까지 이 기획이 부활하면 좋겠네.

"그럼 신부의 부케 토스가 있겠습니다! 여성 여러분, 앞으로 가주세요!"

"호오, 부케 토스인가! 이건 아코가 잡아야겠구나!"

"받은 사람은 결혼할 수 있는 건가요……!"

"진짜로 그만둬. 이건 장난이 아니라고!"

저기, 벌써 드레스를 입은 여자가 앞에 모여있으니까!

"그럼 부케 토스, 시작해주세요!"

레전더리 에이지의 웨딩드레스를 입은 신부가 뒤를 돌아보고 부케를 던졌다.

그 부케가 아코 앞에 떨어진다는, 그런 일은 당연히 없었고.

"받게 된 행복한 여성과 신부에게 따스한 박수를!"

사이 좋은 친구로 보이는 여성이 받아서, 신부와 얼싸안고 기뻐했다.

참으로 아름다운 광경. 결코 사복의 우리가 방해해도 되는 경치가 아니다.

“실수로 받으러 가지 않아서 정말로 다행이야…….”

“으, 음…….”

“제가 던지면 아무도 받지 않고 떨어지지 않을까요.”

“슬픈 상상은 그만두자?”

아마 세가와와 후타바가 진심으로 쟁탈전을 벌일 테니까, 아무런 걱정도 필요 없다고 생각해.

두 사람이 먼저 결혼할 가능성은, 책임질 수 없다.

“그래도 결혼식은 좋은 느낌이긴 하네. 아코가 보고 싶어 한 것도 알겠어.”

“네! 레전더리 에이지 플랜의 결혼식이라는 걸 꼭 보고 싶었어요! 동경하거든요.”

그렇게 중얼거린 아코가 교회 앞에서 사진을 찍는 모습을 가만히 바라봤다.

그런 우리의 시선 끝에서, 신부 여자가 두리번두리번 주변을 돌아봤다.

그리고 이쪽을 가리키고는, 신랑을 데리고 천천히 걸어왔다.

“응? 이쪽으로 오고 있지 않아?”

“친구가 있는 것 아닐까요?”

“아니, 명백하게 우리 쪽을―.”

“저기, 그쪽 머리 긴 당신.”

“네?!”

완전히 아코잖아!

대신 이야기할까 싶어서 잠깐 망설였지만, 아코는 자기가 앞으로 나왔다.

"죄, 죄송합니다. 시끄러웠나요?"

"그렇지 않아. 음악이 커서 아무것도 들리지 않았으니까."

신부는 살짝 웃으며 말했다.

"아까 부케 토스에서 살짝 보였거든. 당신이 부케에 손을 뻗은 거."

"아…… 그게, 받으려고 한 건 아니었는데요."

"알고 있어 알고 있어. 거기서 닿을 리가 없으니까."

"그럼…… 뭐가 문제였던 거죠오?"

한심한 표정을 짓는 아코에게, 신부는 행복으로 가득한 미소를 지었다.

"부케는 그 아이에게 던져준다고 약속했으니까 줄 수는 없지만…… 자."

뒤에 있던 신랑 남자가 한 송이 꽃을 넘겨줬다.

신부는 그걸 아코에게 건넸다.

"부케에서 한 송이만 받았어. 나눠줄게."

"앗…… 감사합니다!"

부케 안에 있던 오렌지색 장미 한 송이를 받은 아코는 크게 고개를 끄덕였다.

"이쪽이야말로 고마워. 굉장히 반짝반짝 빛나는 눈으로 보고 있어서, 우리가 행복해졌다는 걸 겨우 실감할 수 있었어."

그렇지? 하고 신랑에게 웃어주자, 그는 쓴웃음을 지으며 끄덕였다.

"너희도 행복하게 지내."

"네, 넷! 결혼 축하드립니다!"

"고마워!"

신부는 드레스의 무게가 느껴지지 않는 경쾌한 발걸음으로 돌아갔다.

부드러웠지만, 뭔가 당찬 신부였다.

"우후후후후. 루시안, 부케! 부케 받았어요!"

"다정한 사람이라 다행이었네."

"부케를 받은 사람이 다음에 결혼하는 거죠! 그럼 역시 저희가!"

"한 송이라면 버프 효과도 줄어들겠지. 역시 10년 후가 딱 좋지 않을까?"

"어째서인가요!"

아코는 정말이지, 하고 뺨을 부풀렸다.

그 뒤에서, 천천히 어둠의 기척이 흔들렸다.

뭐지, 이 검은 압박감은?!

"……나는 전혀 저런 말을 듣지 못했는데. 나에겐 결혼할 기색이 없었던 건가."

"아아아, 마스터!"

아코와 함께 있었는데도, 완전히 무시당한 마스터다!

"아, 아니에요. 마스터는 혼자라도 어엿하게 살아갈 분위기가 있으니까요!"

"자립하고 있어서 미신을 믿는다는 느낌이 들지 않으니까, 그것 때문일 거야!"

"이래 봬도 아침 운세에 일희일비할 정도로 꽃다운 소녀다만!"

꽃다운 소녀다운 구석도 있다는 거, 우리도 알고 있으니까! 기운 내라고!

††† ††† †††

다시 일행과 합류해서 식사를 하고, 근처 스포츠 시설로 이동해서 신나게 논 무렵에는 벌써 밤늦은 시간이 되었다.

묵을 방도 콜라보 룸인데, 여기는 전혀 보지 못했다.

묵기 전에 사진 정도는 찍어두고 싶네.

"그럼 열쇠 나눠줄게. 이게 나와 고쇼인, 이쪽은 세가와와 아키야마의 방 열쇠야. 잃어버리지 마렴."

"오케이~."

열쇠를 받은 세가와가 휙휙 흔들었다.

"나머지는 니시무라와 타마키의 방 열쇠…… 이거네. 식사는 일곱 시에 로비에 집합. 늦게 오면 두고 갈 거야."

"네~에."

열쇠를 받은 내 옆에서 아코가 기운차게 대답했다.

이제 밤도 늦었는데 아코의 텐션이 떨어지지 않는다. 결혼식이 어지간히 마음에 남은 모양이다.

이후에 제대로 잠들어주면 좋겠는데, 옆에서 소란을 피우면 나까지 잠들지 못할지도—.

"……아무런 의문도 없이 받아들였는데. 이거 이상하지 않아?"

"왜 그러니? 니시무라."

왜 그러고 자시고 말이죠.

"어째서 저와 아코가 같은 방인가요? 고등학생 남녀거든요?"

"…………아."

아, 가 아니라고요오오오!

"진짜로 눈치채지 못한 거야? 선생님?!"

"듣고 보니 그러네. 나도 전혀 이상하게 여기지 않았어."

"니시무라와 아코가 같은 방이라니, 여러모로…… 좋은 느낌 아니야? 문제 있어?"

"음, 그냥 괜찮지 않을까?"

"대환영이에요!"

전혀 괜찮지 않다고!!

"선생님이 동행하고 있다는 건 일단 부의 행사 같은 셈이니까, 아무리 그래도 문제! 불순 이성 교제니 뭐니 하는 말을 듣는 게 제일 귀찮잖아요! 그렇죠? 선생님!"

"그, 그렇지. 나도 평범하게 니시무라와 타마키가 페어면 되지 않을까 생각해버려서……."

선생님이 으으음, 하고 고개를 갸웃했다.

"근데 어쩌지? 다른 여자와 같은 방으로 할 수도 없고, 내가 같은 방인 것도……."

"절대로! 안 돼요!"

"……그렇겠지."

아코가 단호히 거부하자, 선생님이 눈살을 찌푸렸다.

"그럼 한 방에 세 명이 들어갈 수밖에 없는데, 이 호텔은 그리 방이 넓지 않잖아."

"그런 소리를 해도 어쩔 수 없잖아요. 제가 로비에서 잘까요?"

"으~음."

선생님은 나와 아코를 교대로 바라본 뒤,

"……뭐, 이렇게 됐으니 둘이 있어도 괜찮지 않을까?"

"괜찮지 않다고 했잖아요?!"

선생님답지 않은 내팽개치기?!

"구실은 제대로 있어. 타마키는 미안하지만, 세가와 쪽 방에서 자렴."

"에이, 좁으니까 반대에요~! 아코는 니시무라의 방이 좋다고 생각해요~!"

"에이, 라고 하지 말고! 너는 이런 걸 기뻐하는 타입이잖아!"

좁은 방에서 묵는다니, 아키야마가 좋아하는 이벤트잖아!

이 사람, 완전히 아코 편이 되어버렸어!

그러나 선생님은 아키야마에게 고개를 끄덕였다.

"괜찮아. 딱히 확인하지는 않으니까. 타마키는 제대로 여자 방에 간다. 니시무라는 혼자 잔다. 나는 그렇게밖에 듣지 못했어. 이걸로 만사 해결이지? 타마키."

"네! 제대로 슈네 방에서 잘게요! 자, 가죠. 루시안!"

"말의 앞과 뒤가 터무니없이 모순되어 있잖아아아아아아아!"

아무것도 해결되지 않았어!!

"어째서 학생에게 책임을 떠넘기는 건가요! 선생님답지 않아요!"

선생님에게 따지자, 어째서인지 우물우물 변명조가 돌아왔다.

"딱히 떠넘길 생각은 없지만냐…… 뭐, 두 사람이 장래에 결혼한다면, 딱히 쌍심지를 켜고 반대할 것도 없지 않나 싶어서냐……."

"뭣…… 선, 생님……?"

설마…… 당신만큼은 상식적으로 생각할 줄 알았던 사이토 선생님이, 고양이공주 씨가……!

"훗훗훗, 무르네요. 루시안…… 고양이공주 씨는, 이미 우리의 동료 악마예요."

"그런 말도 안 되는 일이이이이!"

"우와아…… 고양이공주 선생님도? 진짜로……?"

아연실색한 나와 세가와의 목소리가 로비 구석으로 사라졌다.

††† ††† †††

"믿을 수 없어…… 선생님이 배신하다니……."

"아직도 그러는 건가요오?"

내가 침대에 앉아서 시무룩하게 있자, 유닛 배스에서 나온 아코가 말했다.

환풍기로는 다 흡수하지 못한 증기가 트윈룸 실내로 들어와, 책상 위의 포와링 인형이 살짝 흐릿해졌다.

아니, 내가 중얼중얼 말하던 건 아코의 샤워기 소리에서 의식을 돌리고자 하는 게 대부분을 차지하고 있긴 하지만.

"루시안, 파자마를 어떻게 할까 고민하다 이걸 가져왔는데, 어떤가요?"

"어째서 섹시한 잠옷을 준비한 건데……?"

"룸 원피스에요. 열심히 준비했어요."

가슴팍이 트인 얇은 원피스가 방의 라이트에 비치자, 몸의 라인이 선명하게 비쳐 보인다.

솔직히 말해서, 대단히 에로하다.

"준비한 시점에서 나와 묵는다는 건 확정이었나……."

미즈키가 와줬다면, 남매가 같은 방이 될 수 있었는데. 어째서 오지 못했던 거냐, 미즈키. 미안, 알고 있어. 그렇지. 전날에 여행 간다고 말해도 무리니까.

"그렇게 저와 묵는 게 싫은가요?"

"이제 와서 싫어할 사이가 아니니까, 그건 딱히 상관없어."

예전에 아코네 집에서 묵은 경험도 있고, 눈을 뜨니 아코가 있던 적도 있었다.

아코가 놀러 오거나 내가 놀러 갈 때도, 피곤하면 자기도 했다. 물론 묵지는 않고 돌아왔지만.

"나는 믿음직한 아군이라 생각했던 선생님이 적으로 돌아섰다는 게 괴로울 뿐이야……."

"고양이공주 씨를 함락시키는 건 힘들었어요~ 훗훗훗."

젠장. 방심해서 아군의 호감도를 올리는 걸 게을리했어…….

아키야마가 탈락한 시점에서 위험하다는 걸 눈치채서, 제대로 선생님과 결속을 다졌다면……!

"그래도 나는 꺾이지 않으니까. 결혼은 안 해."

"으으음. 아직도 저항하는 건가요……."

아코는 방의 책상 위, 물을 넣은 글라스에 꽂아둔 오렌지색 장미로 시선을 돌렸다.

"자, 부케 꽃도 받았으니까 포기하자고요."

"꽃 한 송이에 그런 효과는 없습니다."

"그렇게 멋진 예식을 봤는데도 안 되나요?"

"조금 마음이 흔들렸지만, 안 돼!"

"스무 살이 되더라도 안 되나요?"

"지금 정하지 않아도 되잖아. 스무 살의 내가 책임을 질 수 있는 어엿한 인간으로 진화한다면, 그때는 다시 결혼 이야기를 하자. 결과는 똑같잖아?"

그러면 결과를 모르는 약속을 할 필요도 없다.

"저는, 그걸로는 싫어요."

그러나, 아코는 단호하게 말했다.

"스무 살이 아니라도 좋아요. 나이를 정하지 않아도 좋아요. 그러니까 지금, 약속해주세요. 저와 결혼한다고. 언제나 함께 있겠다고!"

"그건, 약혼…… 같은 건가?"

"맞아요. 신부 예약, 같은 느낌이면 괜찮아요!"

웬일이지. 아코가 점점 양보하고 있어……!

당장 결혼, 스무 살이 되면 결혼, 우선 약혼, 그렇게 타협점을 찾고 있어!

뭐야 이거? 아코답지 않잖아!

"그러니까 루시안!"

아코는 지금까지의 프러포즈보다 진지한 음색이 되었다.

"당장 양가 대면으로 제대로 인사하고, 맞춤 반지를 사고, 가능하면 내년 초부터 동거하는 느낌으로 약혼하죠!"

"욕심만 많은 약혼은 그만둬어어어!"

역시 아코였어!

결국 4월부터 사실혼을 하겠다는 약혼이잖아!

"지금 당장 결혼이라든가, 언제까지 결혼하자는 이야기에서 벗어난 건 좋지만, 너무 조바심 내고 있어!"

"에에에엑?! 안 되나요? 이래도 무리인가요?!"

"무리, 라기보다는…… 있잖아, 아코."

변함없이 거절했는데도, 아코는 그렇게 심각해 보이지는 않았다.

그렇지만, 어울리지 않게 여기까지 양보를 받게 되니 정말 신경이 쓰였다.

"어째서 그렇게 결혼이라는 시스템에 얽매이는 거야?"

근본적인 의문은 있었다.

아코가 모두에게 상담하는 걸 엿들었던 터라 자세한 사정을 묻기 힘들었지만.

"애초에 아코, 어째서 현실에서 결혼하자는 말을 꺼낸 거야? 거기서부터 모르겠어."

"이제 와서 그 질문인가요?!"

"아코가 말하지 않는다면 딱히 상관없겠다 싶어서."

정말로, 그저 결혼하고 싶을 뿐일지도 모르니까.

그러나 이렇게나 강경하게 말한다면, 무거운 이유가 있을지도 모른다. 그럼 들어보고 싶었다.

"사정이 있다면 가르쳐줬으면 하는데…… 어때?"

"저도 그다지 정리된 건 아니라서, 제대로 말할 자신이 없는데요……."

"시간은 얼마든지 들여도 되니까, 들려줘."

"루시안이 그렇게 말한다면…… 아, 그래도. 그렇게 심각한 이야기는 아니거든요?"

딱히 곤란한 건 아니에요, 라며 전제를 둔 뒤.

"평범한 사람이라면, 그렇게 대단한 이유는 아니라고 생각하지만……."

반대로 말하면, 아코에게는 꽤 무거운 이유인가.

내 시선 너머, 침대에 앉은 아코가 자기 다리로 시선을 내리며 말했다.

"그게, 마스터의 수험, 끝났잖아요."

"합격 발표는 아직이지만…… 그렇지."

마스터가 학교에 전부 떨어진다는 사태는 도저히 생각할 수 없다. 오히려 전부 붙을 것 같은 사람이다.

어느 학교로 가는지는 둘째치더라도, 그녀의 대학 수험은 분명 끝이다.

"마스터, 로그인했을 때는 평범하게 있었지만, 역시 굉장히 긴장했어요. 뒤에서는 힘들었던 때도 있었고요. 그런 이야기를 들었어요."

"아코가 마스터의 투정을 들어줬던 건가…… 그건 잘했어. 응."

"저는 공부하세요~, 라고 말하지 않으니까요!"

"……그런 점에서는 우리가 도움이 안 됐나."

세가와만큼 부지런히 하라고 말하지는 않지만, 「마스터 괜찮아?」같은 분위기였으니까.

힘내라 힘내라는 말을 듣고 있는데 투정을 부릴 수는 없나.

어느 의미에서 이런 역할 담당은 앨리 캣츠 초기부터의 전통이다.

한심한 투정은 아코에게 말하면, (한심한 동료 아코가)기뻐하며 들어주는 거다.

"그래서, 마스터도 이렇게 노력해야 하는데, 저도 이제 곧 3학년이 된다는 생각이 들어서……."

"우리에게도 힘든 1년이 될 건 틀림없겠지."

"공부라든가 수험이라든가, 굉장히 싫어요. 루시안이, 모두가 가지 않는다면 대학에 흥미도 없어요."

"으, 응."

단호하게 말하네. 내심 한숨을 내쉬었다.

적어도 고등학교에 있는 동안에 장래의 꿈을 찾아줬으면 좋겠는데.

"그래도 노력할게요. 루시안과 함께 보낼 수 있는 미래를 위해 노력하려고 해요. 그러니까, 증거가 필요했어요."

"증거……?"

"저는 노력해도 된다고, 노력해도 괜찮다고. 루시안은 언제나 함께 있어 주니까, 노력하면 그건 헛수고가 되지 않는다는 증거요."

아코는 진지한, 그래도 어딘가 불안한 눈으로 나를 바라봤다.

"루시안이 현실에서도 언제나 함께 있어 준다면, 노력해보려고 해요. 그래도, 역시 자신이 없으니까……. 그러니까 결혼하면, 적어도 약혼하면…… 그럼 그걸 증거로 삼아서 노력할 수 있을 것 같아서."

"그걸 이유로, 결혼 약속을 하고 싶다, 그거야?"

"……네."

"그런, 가……."

자기 자신에게 자신감이 없는 아코답다고 하면, 그럴지도 모르겠다.

내가 아코에게서 도망칠지도 모른다, 떨어질지도 모른다. 필사적으로 공부하고, 괴로워했는데, 그게 전부 헛수고가 될지도 모른다. 그런 걱정을 하지 않고, 행복한 미래를 위해 순수하게 노력할 수 있게 결혼하고 싶다는 건가.

"그건 다시 말해서, 나를 믿지 못한 탓이네……."

내가 능력이 부족한 탓에, 아코가 이런 폭주를…….

"그렇지 않아요. 제가 자신을 믿을 수 없을 뿐이라……."

"의미가 똑같다고."

"루시안도, 저한테 차일지도 모른다는 말을 아버님에게 했었잖아요!"

"아코는 믿지만, 나는 나한테 자신이 없다고!"

"똑같잖아요!"

"나와 아코니까 말이지!"

아니, 이건 대체 무슨 말다툼이야.

헛된 말다툼은 그만두고, 마음을 다잡고.

"아코의 불안감은 알겠어. 어째서 프러포즈 같은 걸 하는지도 납득했고."

"그럼 결혼해주는 건가요?! 적어도 약혼을!"

"……미안하지만, 안 돼."

"에에에엑!"

그야 아코의 이유가 그거라면, 나는 정반대니까.

"아코는 장래의 보장이 있다면 노력할 수 있다고 말하지만…… 나는 반대로, 아코와 언제나 함께 있기 위해서, 필요하다고 생각하니까 노력하는 거야."

칭찬하면 성장하는 힐러와, 괴로워하며 숙달되는 탱커의 콤비다.

끼리끼리 부부지만, 그 점에서는 다르다.

"그럼 저와 결혼하면?"

"아마 노력하지 않겠지. 지금 상황을 유지해도 되겠다고 할 거고."

그러니 미안하지만—.

"지금 당장 약혼이나 결혼은, 제발 봐줬으면 좋겠어."

"으으으으으, 어느 한쪽밖에 고를 수 없다면 결혼 쪽이어도 되잖아요!"

양자택일이니까, 아코의 선택지라도 괜찮다고 할 수도 있겠지만, 현실적으로 생각해도 약혼은 무리다.

"솔직히 말해서 우리 부모님하고 아코네 부모님한테, 고등학생이지만 약혼하게 해주세요! 라고 부탁하는 거, 현실적으로 무리."

"그건 같이 힘내자고요오!"

"한 사람 몫을 하게 된 이후라면, 힘내지 않아도 축복해주게 된다고!"

그건 오늘 결혼식을 보고 다시금 느꼈다.

"결혼한다면 모두가 안심하고 축복해줄 수 있게 하자. 걱정이라든가, 불안이라든가, 그런 마음을 가지기를 바라지는 않잖아? 오늘의 부부처럼, 모두에게 축하를 받아야지!"

"으으으, 굉장히 상식적인 정론으로 공격하는 건 치사해요."

"나는 상식적이라는 것에 자신이 있으니까."

"절대 거짓말이에요."

시무룩하게 말하지만, 반대로 거기서 승산을 찾아낸 걸까.

"그래도, 루시안이 좀 더 흔들렸다는 건 알았으니까, 이대로 공격하면 이길 수 있을 것 같아요."

"그만해주지 않을래?"

"길드원을 전원 동료 악마로 삼고, 저희 부모님하고 루시안의 부모님을 설득해서…… 그러면 승산이 보이네요……."

"진짜로 봐달라고!"

부모님을 말려들게 하는 건 그만둬어!

"그래도 아코의 마음을 알게 된 건 다행이야. 공부해라 공부해라 밀어붙여서 미안."

"밀어붙인다고 할 만큼 말하지는 않았다고 생각하는데요."

그래도 아코가 압박을 느끼고 있었다고 하니까. 그럴 생각은 없었다고.

"이봐, 아코. 다음부터는 둘이서 공부하는 시간을 늘릴까? 고생은 같이 해야지."

"그건 대환영이에요! 루시안과 둘이서라면 조금 더 힘낼 수 있어요!"

나도 그렇다. 아코와 둘이서라면 좀 더, 좀 더 힘낼 수 있다.

무엇보다도, 아코가 한계에 달하기 전에 내가 알아챌 수 있으니까.

"공부한다, 이콜 함께 있을 수 있다. 정신이 들자 공부가 즐거워진다…… 파블로프의 아코네요……."

"자기를 개 취급하지는 말라고."

아무튼, 하나의 의문점이 해결됐다. 아코가 무슨 생각을 하고 있는가. 어째서 이렇게 폭주하는가. 그리고 마스터조차도 스트레스를 느끼는 1년을 둘이서 어떻게 넘어설 수 있을까.

그것만으로도 같은 방에서 묵게 된 가치가 있었다. 응.

이야기가 일단락되고, 마침 분위기가 느슨해진 뒤.

"좋아. 그럼 자자. 이제 늦었으니까."

"네? 아직 열두 시 전인데요?"

"내일 일곱 시부터 식사라고. 여섯 시 반에는 일어나야 하니까."

"모처럼 부부가 단둘이 있잖아요? 좀 더, 뭐랄까, 있잖아요!"

"그 의상으로 다가오는 건 그만둬!"

자기 침대에서 떨어진 아코가 섹시한 잠옷으로 이리로 다가왔다.

"게다가, 언제나 함께한다는 증명은, 다른 형태로도 할 수 있다고 생각해요."

"다른 형태라니, 잠깐만……."

아코는 이동하면서 손을 뻗어 방의 전기를 껐다.

어느새 수수께끼의 무드 있는 음악이 방에 흘렀다.

침대 옆의 라이트가 유일한 광원이 되었다. 어슴푸레한 어둠 속, 아코의 체중이 실려서 침대가 삐걱거렸다.

내 어깨에 자그마한 손이 올라오고, 그대로 뒤에 체중이 실렸다.

"루시안, 어때요……?"

호텔 침대에 누운 내 위에, 아코가 밀어붙이고 있는, 어중간한 형태.

떨어지려면 바로 밀어낼 수 있을 만큼, 선택을 내게 맡기듯이 체중을 실은 아코가 천천히 내게 얼굴을 가져갔다.

나와 마찬가지로 샤워 룸에 딸린 보디 워시를 썼을 텐데, 전혀 다르게 느껴지는 아코의 향기.

난방을 켰는데도 조금 차가운 실내에서, 아코의 체온이 몸에 스며든다.

"루시안……."

"아, 코……."

이대로 휩쓸려도, 괜찮으려나—.

"아니, 그럴 리가 있나! 자, 잠깐잠깐잠깐!"

"꺄웃?!"

다가오는 아코의 얼굴을 결사의 각오로 밀어냈다.

위, 위험했어. 진짜로 휩쓸릴 뻔했다.

내 손 너머, 침대 위에 주저앉은 아코가 울상을 지으며 이쪽을 바라봤다.

"어째서인가요! 이렇게까지 했는데 안 되는 건가요! 솔직히 조금 생각한 건데, 역시 저는 여자로서 전혀 매력적이지 않은 건가요! 그런 건가요?! 정말로 죄송해요!"

"그럴 리가 있겠냐! 웃기지 마!"

"오히려 화내는 건 이상하다고 생각해요!"

없을 리가 없잖아!

지금 엄청 위험했다고!

"아니야! 매력은 굉장히 있고, 나는 지금도 두근두근하고 있어! 흥분도 되지만!"

그러니까, 딱히 매력이 없다거나, 그런 이유가 아니라!

"육체적으로 이런저런 게 없더라도, 사랑은 전해지니까! 무리해서 관계를 진행할 필요는 없다고! 나는 아코를 정말로 좋아하니까, 초조해할 건 아무것도 없어!"

프러포즈를 거절한 내가 말하는 건 이상하지만, 이것만큼은 진심으로 말했다.

"아코는 좀 더 자신을 소중히 해도 된다고!"

씨이이이익…….

이건 완벽하다. 좋은 말을 했다.

머릿속이 짐승 상태인 남자 고등학생인 내가, 이성을 아슬아슬하게 붙들고 파트너를 소중히 여겼다. 이건 다시 반할 게 분명하겠죠!

나는 그런 자만에 잠겼지만.

"우우우우! 우우우우우우우우!!"

"……어라?"

아코는 고개를 숙이고 우~우~ 신음했다.

말하고 싶지만 말할 수 없다. 하지만 포기하고 말할까—그런 갈등이 전해진다.

"아코 씨? 지금 대사, 별로였나요?"

"……루시안."

그리고 그녀는 천천히 고개를 들었다.

어슴푸레한 어둠 속이지만, 그 눈동자에 강한 결의가 담긴 것이 보였다.

"네, 네에……?"

"거기에 정좌해주세요. 침대 위라도 좋으니까."

"정좌?! 이 타이밍에?!"

"저도 할 테니까. 자, 어서요."

"아, 알겠습니다."

무서운 눈초리와 얼어붙을 듯한 목소리여서, 황급히 자세를 고쳤다.

내 정면에서 천천히 정좌 자세를 잡은 아코는, 무서운 눈으로 말했다.

"루시안. 오늘만큼은 마음을 터놓고 이야기하죠."

4장

"성욕을! 주체하지 못하고 있어요!"

And you thought there is Never a girl online?

■2월 24일 일요일

약간의 불빛을 발하는 침대 근처 시계가 오전 0시를 표시했다.

이 순간, 날짜가 바뀐 것이다.

그리고 심야의 침대에서 마주 보고 정좌한 나와 아코.

어째서 이런 일이 벌어진 걸까. 전혀 모르겠다.

"……일단 다리가 아프니까 편히 앉을까요."

"그래."

그리고 아코가 순식간에 정좌를 풀었다.

정좌한 거, 1분 정도였네.

그리고 아코가 자기 핸드폰을 톡톡 조작하자, 흐르고 있던 수수께끼의 무드 있는 BGM도 멈췄다. 그것도 아코의 프로듀스였냐고.

"어흠! 그럼 본론이에요."

새삼스레 헛기침을 한 뒤, 아코가 말했다.

"저희 엄마한테 들었어요. 부부라는 건 번드르르한 말만으로는 함께 있을 수 없다고. 서로의 아름다운 부분도 더러운 부분도 합쳐서, 제대로 상의하며 나아가야 하는 게 중요하다고요."

"지, 지당한 말이라고 생각하지만."

그보다, 그런 의미로 말하면…….

"우리는 이미 나쁜 점이나 한심한 점도 서로 보여온 것 같은데."

"저도 그렇게 생각해요. 제대로 부부로서, 솔직한 모습으로 접해왔을 거예요. 하지만, 딱 하나 제대로 이야기하지 않은 게 있었어요."

어슴푸레한 어둠 속에서, 아코의 눈동자가 번뜩 빛났다.

"그래요. 밤 생활에 대한 거예요."

"……밤."

"네, 밤이요."

아코는 밤의 과자인가요, 같은 개그를 끼워 넣는 건 용납할 수 없다는 눈빛으로 나를 바라봤다.

"저, 여러모로 노력했다고 생각해요. 평소에도 스킨십을 빼먹지 않았고, 같이 목욕탕에 들어가거나, 몸에 초콜릿을 바르거나. 루시안은 기억하지 못하겠지만, 침대에 실례한 적도 이번이 처음은 아니에요."

"겨울 합숙 때였지. 그때는 미안. 완전히 곯아떨어져서."

"저와 같이 자는 게 자연스럽다고 생각한 거잖아요. 그건 기뻤으니까 상관없지만요."

아코는 그 이외의 일이에요, 라며 무겁게 말했다.

"혹시, 말인데요. 루시안."

"네, 네?"

"제가 열심히 프러포즈하는 게, 부부의 의무라든가, 루시안의 사랑을 매어두기 위해서라든가, 자신의 가치를 확인하고 싶다든가, 그런 이유로 마지못해서 하는 거라고 생각하나요?"

"……어? 아니었어?"

다른 가능성이 있어?

머릿속이 분홍색인 남자 고등학생인 나는 으스댈 것 같은 자신을 억누르는 데 고작이니까, 억지로 그런 짓은 하지 않아도 된다고 생각하는데.

"굉장히 부끄러운 말을 하게 되는데요."

어둠에 익숙해진 눈에, 뺨을 물들인 아코가 입을 움직이는 게 보였다.

"부, 부끄러운 말?"

"너무나도 부끄러워서, 말하는 게 오히려 기분 좋은 느낌조차 드는데요."

"이상한 성벽에 눈 뜨지 마."

아코는 스읍~하아, 크게 숨을 내쉰 뒤, 굉장히 엄숙한 목소리로 말했다.

"잘 들으세요, 루시안."

"네."
"여자에게도, 성욕은, 있어요."
"있구나……?"
"있어요."
자기 가슴에 손을 대고.
"그리고 저한테도 있어요."
"네, 네에."
"굉장히 많아요."
"굉장히 많은 건가……."
"굉장히 많아요."
굉장히 많으면 어쩔 수 없, 겠지?
"즉, 아코는 딱히 나한테 신경을 써서 애썼던 게 아니라…… 저기……."
내가 바꿀 말을 찾자, 아코는 전력으로 단언했다.
"루시안과! 야한 걸 하고 싶어요!"
"말투우! 좀 조신하게에!"
여자애가 그런 말을 하면 안 됩니다!
그렇게 화내려고 한 나 이상의 기세로,
"여기까지 왔는데 그런 걸 신경 쓸 수는 없어요! 호텔 침대에서 남편에게 밀려나는 아내의 마음을 알긴 하나요?! 자신을 소중하게?! 소중하게 여기니까 남편과 사랑을 나누고 싶은 거잖아요! 어째서 몰라주는 건가요!"

"그것에 관해서는 정말로 면목이 없어!"

부끄럽게 해버리고 말았습니다!

이쪽은 오히려 선의로 말했던 겁니다!

"물론 무리해달라고 말하는 건 아니에요. 불안도 긴장도 있지만, 그래도 저는! 저는!"

아코는 침대를 두드리면서, 굉장히 굉장히 원망스럽게 말했다.

"성욕을! 주체하지 못하고 있어요!"

"뭔가 정말 미안!"

이거 입장이 반대잖아!

설마 아코가, 이런, 저기, 어어, 그, 야했었다니.

……아니, 미안. 아코가 야하다는 건 솔직히 약간 알아채고 있었다. 이렇게까지 노골적으로 야할 줄은 생각지도 못했지만.

"저기 말이야. 지금 좀, 이거 무슨 에로겜이야? 라고 얼버무릴까 했는데."

"네."

"에로겜에서 이런 분위기 없는 이야기, 하지 않지."

"하지 않는 건 아니라고 생각하는데요……."

아코는 고개를 갸웃한 뒤.

"아무튼, 현실은 냉혹해요. 각박하다고요. 어딘가에서 본심을 이야기해야 하잖아요. 저도 부끄럽다고요."

"대단히 면목이 없어."

고작 부끄러운 걸로 그친다는 점에서 우리의 교제도 올 때까지 왔다는 생각이 들기도 하는데…….

"그러니까 루시안도 본심으로 대답해줬으면 하는데요…… 역시 저로는 야한 기분이 들지 않나요?"

"그럴 리가 있냐!"

아까도 말했지만, 매력은 충분하고도 남을 정도니까!

"된다고. 엄청 돼!"

"야한 일 하고 싶지 않나요?"

"엄청 하고 싶어."

심야 0시에 호텔 침대에서 야한 일을 하고 싶다고 말하는 건, 참 뭐라 말하기 힘든 심경이었다.

차라리 죽여달라는 마음과, 여기서 죽을 수 있겠냐는 마음이 절묘하게 부딪쳐서, 최종적으로는 그냥 죽고 싶다.

"…………."

"……………."

나와 아코는 한동안 응시한 뒤.

"그럼! 어째서인가요!"

아코가 침대를 팡 두드렸다!

"어째서 도망치는 건가요! 책임을 져달라고 하지는 않을 테니까, 하자고요! 어차피 결혼했고, 나중에 결혼할 테니까요!"

"그건 책임을 지라고 하는 거잖아! 아니, 지겠지만! 그게 아니라!"

에에잇, 젠장! 내가 몰랐던 아코의 본심을 들어버린 이상, 이쪽도 도망칠 수는 없나.

이것만큼은 포기할 수밖에 없다.

말하는 것도 한심하지만, 나도 이야기하지 않으면 안 되겠지.

"알았어. 아코의 각오에 나도 반성했어. 솔직한 기분을 말할 건데, 한심한 이야기니까 실망할 거야."

"괜찮아요. 들려주세요."

진지하게 들어줬으면 좋겠다. 전혀 멋진 이야기가 아니니까.

"그게, 말이지. 그야 나도 생각은 해. 연인인가 부부인가는 둘째치고, 서로 좋아하니까 할 일은 해도 괜찮지 않을까."

아코의 어머니도 허가해줬으니까, 방해는 전혀 없다.

"그런 짓을 하면 미움받을지도 모른다는 걱정도, 솔직히 별로 안 했어. 원한다면 아코는 받아들여 주지 않을까 멋대로 생각했지."

"바로 그거에요. 원한다면 대환영이었어요."

"차려진 밥상이라는 말은 이럴 때 하는 거라고 생각했어."

"너무 까놓고 말하는데요?!"

미안해…… 미안해……!

"그럼 어째서 하지 않는 건가요! 납득이 가는 이유를 요구합니다!"

"그게 말이지. 정말로 내가 못난 녀석인 탓이지만."

이유는 정말로 한심하게도.

"이 이상 나아가면, 머릿속이 아코로 메워져서 아무것도 못 할 것 같았으니까……."

"……네?"

아코가 고개를 옆으로 툭 떨궜다.

"좀 더 솔직하게 말하면, 아코에게 빠져서 머릿속이 그걸로 꽉 차버려서 공부도 온라인 게임도 제대로 못하게 될 것 같다는 확신이 있었으니까, 아무것도 안 했어."

"어, 아, 에?"

아코는 아까 이상으로 얼굴을 빨갛게 물들였다.

지금 한 말에 그렇게 쑥스러워할 요소가 있었던가요?

오히려 내 얼굴이 새빨갈 거다. 아니, 분명 새빨갈 거다. 굉장히 얼굴이 뜨겁다.

아아, 정말이지. 이건 절대로 흑역사감이야!

"저, 저기, 저한테 빠진다니, 그런 기대를 해도 곤란해요! 열심히 노력하겠지만, 저는 어떻게 해도 저니까요! 그릇이 다르달까, 물웅덩이에 빠지는 건 무리라고 할까!"

"아니, 틀림없어. 확신이 있어."

왜냐하면 절반은 실제 체험이니까.

"난 말이지. 처음에 아코와 키스했을 때, 머릿속이 뿌옇게 돼서 그냥 이상해질 것 같았어. 지금도 키스할 때마다 꽤 영향이 있다고. 모든 게 아무래도 좋으니까 계속 이러고 싶다는 기분이 든다고."

"네, 네에. 저도 그래요."

자기 입술에 손을 대는 건 그만둬. 뭔가 에로하니까.

"그런데 이 이상, 그야말로 정말 마지막까지 해버리면, 분명 아코에게 빠질 거야. 나는 머릿속에 아코밖에 들어있지 않은, 완전히 글러먹은 인간이 되어버려."

"딱히 문제는 없다고 생각하는데요."

"그런 상태가 되어버리면 아무리 아코라도 정나미가 떨어질 거잖아? 그리고, 아코에게 빠져버린 내가 아코에게 버림받고, 무사히 사망하는 거지."

"그런 걱정은 필요 없어요!"

아코는 고개를 붕붕 내젓고는, 「그래도」 하고 말을 이었다.

"게임도 하지 못하게 되는 건, 좀 곤란해요."

"하물며 공부 같은 건 절대로 손대지 않을 거야. 수험은 확실히 실패하겠지."

언젠가 결혼하기 위해, 제대로 된 인간이 되기 위해 노력해야 하는 시기다.

여기서 글러먹은 인간이 되어버리면 모든 게 다 끝장난다고 생각합니다.

그런고로.

"평생을 결정하는 중요한 시기니까 여기서는 참아야 한다고 견디고 있는 거야. 아코가 애쓰고 있는데, 내 멘탈이 약한 탓에 부끄러운 경험을 하게 해서…… 정말 미안해…….”

“아, 아뇨…… 저는 그냥, 둘이서 질척질척하게 타락하는 것도 좋겠는데~ 라고 생각했으니까……. 저야말로 죄송해요.”

아코도 고개를 꾸벅 숙였다.

그렇다니까. 아코가 내키는 마음이 생기면 문제가 또 늘어난다고.

“아코가 어쩔 수 없이 나에게 맞춰준다면, 브레이크가 될지도 모른다고 생각하는데.”

촉촉한 눈동자로 바라보는 아코에게 한숨을 내쉬었다.

“아코 쪽도 성욕을 주체하지 못한다면, 우리 둘 다 글러먹은 인간이 되어버리겠네.”

“되어버리겠죠.”

아코도 자각은 있는 모양이다.

둘이서 글러먹은 인간이 되는 게 확정이라면, 역시 휩쓸릴 수는 없겠네.

“솔직하게 이야기하는 건 중요하네요. 저는 글러먹은 인간이 되면 안 된다는 마음은 먹은 적이 없어요.”

“철학적으로 먹히지 않는 말은 말라고.”

아코는 나와 둘이서 온라인 게임을 할 수 있다면, 어지간한 문제는 무시하니까.

“뭐, 응. 아무튼, 그런 겁니다.”

“네. 루시안의 본심을 들어서 다행이에요.”

"그렇게 순순히 기뻐하지 마……."

이런 부끄러운 화제에서 진지하게 기뻐하면 곤란하다.

"애초에 아코에게는 언제나 본심으로 대하고 있어. 비밀도 거의 없고."

"그치만, 루시안에겐 거짓말을 할 생각이 없더라도, 사실은 본심이 아니었다는 일은 있을지도 모르는걸요?"

"그렇지는 않다고 생각하는데."

뭐, 아무튼 오늘은 제대로 본심을 이야기했으니까.

그렇다면, 역시 결론은 이렇다.

"서로 성욕을 제어하면서, 참아볼 수밖에 없네~."

"그래도 수험이 끝날 때까지 꼬박 1년인데요? 그렇게 참을 수 있나요?"

"처음 만난 순간부터 2년이나 참았다고. 앞으로 1년 정도는 어떻게든 돼."

말이야 이렇지만, 솔직히 자신은 없다.

이렇게나 이론 무장을 한 지금도 여전히, 그냥 해버리면 되지 않나? 라고 생각하는 니시무라 히데키가 머릿속에서 상당한 지분을 차지하고 있거든.

"이것만큼은 참을 수밖에 없어. 수험이 끝날 때까지 어떻게든 참자."

"루시안. 수험은 괴롭네요."

"내 말이."

묘한 부분에서 수험 공부의 험난함을 느끼게 된 나와 아코였다.

"그럼 유감이지만, 그렇고 그런 건 참고…… 그래도 같이 자는 것만이라면 괜찮나요?"

"괜찮지만…… 이 타이밍에서 내 정신력을 시험하려 드는 건 어째서야……."

"다소의 접촉은 괜찮으니까요!"

"너는 악마냐."

아코가 꾸물꾸물 이불 안으로 파고들었다.

그 모습을 보는 게 무서워서, 등을 돌리고 누웠다.

"루시안, 꼬옥 안는 건 괜찮나요?"

"마음대로 하시지요."

"네~에."

허리에 손이 닿는 것과 함께, 뒤에서 따스한 감촉이.

말랑이라고 해야 하나, 몰랑이라고 해야 하나, 탐스럽다고 해야 하나, 그런 부드러움과 함께, 아코의 체온이 전해진다.

두근두근하다. 두근두근하지만, 비슷한 수준으로 안심도 된다. 그런 감각.

—미안, 거짓말. 안심보다 훨씬 두근두근하고 있어.

나, 제대로 내년까지 참을 수 있을까.

"있잖아요, 루시안."

"귓가에 속삭이는 건 그만둬. 왜?"

"……역시, 하지 않을래요?"

"정말로! 좀 봐달라고!"

나도 진짜로 한계라니까!

††† ††† †††

무슨 일이 있던 것 같았지만 최종적으로는 아무 일도 없었던 밤이 지났고.

호텔을 나온 우리는 선생님의 운전으로 여느 때의 역 앞에 돌아왔다.

"원래는 조금 더 관광을 끼워 넣고 싶었지만, 오늘은 서버 최강 결정전이 치러질 예정이다. 나를 포함해서 참가자가 많겠지. 이후를 대비해서 조금 이르지만 해산하자."

"다들 수고했어. 시험이 끝나서 놀고 싶겠지만, 긴장 풀지 말고 사고나 부상이 없도록 하렴."

"네~에."

"저기, 니시무라. 결국 아코랑 아무 일 없었어? 응?"

"아아아아무 일도 없었거든? 배신자는 당장 돌아가!"

말다툼을 하면서 역으로 들어가는 멤버를 배웅했다.

나도 바로 집으로 돌아갈까 해서 짐을 짊어졌는데.

"니시무라. 잠깐 괜찮아?"

"어? 세가와?"

역에 들어간 줄 알았던 세가와가 어째서인지 말을 걸어왔다.
"잠깐 상담할 게 있어. 긴급사태야."
"……들려줘."
긴급사태라고 해도, 실제로 긴급한 일은 별로 없다.
그러나 그 굳어진 표정은 틀림없이, 진짜로 위험한 일이라는 확신을 들게 했다.

둘이서 역 근처 찻집으로 이동했다.
밀실에서 단둘이라는 건 위험한 느낌이 들어서, 탁 트인 가게를 고르긴 했는데.
"이런 모습을 아코에게 들키면 그건 그것대로 무섭네."
"걔는 똑바로 집으로 돌아갔을 거야. 준비가 있으니까."
"준비?"
"그 이야기는 나중에. 일단 상황 확인부터야."
세가와는 핸드폰을 탁상에 놓고, 달력 앱을 표시했다.
"지금까지 들은 정보라면, 2월 2일에 프러포즈하고 그로부터 연일 프러포즈를 계속하고 있다. 이게 맞지?"
"바로 그렇습니다."
"……연일 프러포즈를 당하다니, 아마 인생에서 두 번은 듣지 못할 말이겠네."
"나도 두 번 당하고 싶지는 않아."
내일도 프러포즈를 당하겠지!

"그리고, 처음에는 가능한 한 빨리 결혼하고 싶다고 했지만, 밸런타인에는 20세가 되고 나서라는 조건을 걸었지."

"아, 그게 어제 또 갱신됐어. 약혼이라도 좋다고."

"……약혼, 이라. 반지 같은 걸 교환하고?"

"응. 커플링으로 하자면서."

지금까지 부부라는 설정에 관해서는 절대 양보하지 않던 아코가 이 건만큼은 제대로 타협안을 찾고 있다.

그 때문인지 나만 단호하게 거절하고 있는 게 미안하다는 분위기가 된다.

"그렇구나. 지금 단계에서, 마음의 흔들림은 어느 정도?"

"……60%, 정도."

"절반을 넘었네."

"그야 매일 거절하는 것도 괴롭고. 바로 결혼이라든가, 기한을 정해서 결혼이라고 하면 책임을 질 수 없지만, 정식으로 약속을 나누는 것만이라면 오히려 각오를 다질 때가 아닐까 싶기도 해서……."

"흠흠."

"아코가 왜 결혼하자는 말을 꺼냈는지도 들었고…… 마음은 이해하거든."

입시학원, 모의고사, 수험! 자, 공부다 공부다! 그런 괴로운 1년을 넘어서기 위해, 언제나 함께라는 증거가 필요하다고 했으니까.

"이제 아군도 세가와밖에 없고, 포기하는 게 나을까…… 그런 생각도 조금 들어."

"그러, 게."

세가와는 무겁게 고개를 끄덕이더니, 천천히 입을 열었다.

"지금까지 듣고, 알게 된 사실이 있어. 말해도 될까?"

"해봐."

"너, 속고 있어."

"…………."

또렷한 한마디였다.

나는 크게 숨을 들이쉬고, 내쉬고, 가급적 냉정해지자고 마음을 다지면서, 말했다.

"……그렇지?! 나, 속고 있지?! 이상하다니까, 약혼이라니!"

"당연하지. 고등학생 커플이 정식 약혼이라니 어딜 봐도 이상하잖아. 결혼하자~, 같은 구두 약속이면 충분해."

아아, 다행이다. 이 말을 들어서 정말로 다행이다.

어제 솔직한 이야기를 나눈 것도 있어서, 내가 너무 도망치는 게 아닌가? 아코는 불만이 있지 않을까? 그런 여러 생각이 들었지만.

"내가 이상한 게 아니었구나!"

"괜찮아. 이상한 건 주변이니까."

세가와는 컵의 얼음을 딸랑 흔들었다.

"네가 걸려든 건 도어 인 더 페이스라는 교섭술이야. 처음에 억지를 부린 뒤에, 서서히 요구 레벨을 낮춰서 납득시키는 테크닉."

"그런 기술이…… 세가와, 용케 알고 있네."

"구글링했더니 나왔어."

역시 우리의 구글 선생님. 믿음직하다.

"처음에 이야기를 들었을 때 말했지? 처음에 한 프러포즈는 아코도 거절당하는 게 전제였다고."

"아, 아아. 그렇게 말했는데…… 그래. 그래서 아코에게 여유가 있었나."

"원래부터 그렇게 요구를 내리는 작전이었으니까, 예정대로였겠지."

세가와는 근처에 놔둔 물을 한 모금 마셨다.

"그래도 본래 계획은, 거절당할 생각이었다는 말은 굳이 하지 않고 너의 죄책감을 부풀리게 할 예정이었을 거야."

"……어? 진짜로?"

그런 무서운 계획이었어?!

내 마음이 망가져서 사람으로 있을 수 없게 된다고?!

"그러는 편이 효율적이잖아? 너, 아마 오늘까지 버틸 수 없지 않았을까?"

"응. 아코를 상처입히면서까지 거절하지는 않았을 거야!"

아코가 신경 쓰지 않고, 예정대로라고 말했으니까 지금까지 거절해왔다.

만약 아코가 프러포즈 때마다 필사적이고, 상처를 받았다면, 나는 이미 마음이 꺾였을 거다. 그렇게까지 고집을 부릴 수는 없다.

“아코도 똑같았겠지. 니시무라를 진심으로 상처입힐 수는 없으니까 그 자리에서 말해버린 거야. 그건 계획했던 인간에게는 예상 밖이었겠지.”

“과, 연? 아니 잠깐, 계획한 사람이라니…….”

“나는 처음부터 이상하다고 생각했어.”

종이 냅킨을 꾹꾹 누르면서.

“프러포즈 전날에, 채팅에서 아코에게 상담을 받았는데…… 걔, 키보드로 쳤다고는 생각할 수 없는 속도로 말하더라고. 말해야 할 대사를 준비해두고, 그걸 복붙했다는 느낌이었어.”

“……아. 실은 그거, 잠깐 봤었어. 그랬을지도 몰라.”

“어, 너 있었어?”

“큰일이라고 생각해서 바로 껐지만, 조금은.”

듣고 보니, 그날은 묘하게 채팅이 빨랐다.

그리고 루시안에게 현실에서 프러포즈를 하고 싶어요, 라는 말을 마구 복붙하기도 했으니까.

“전에도 말했지만, 미캉을 공략한 것만으로도 아코에게는 너무 빨라. 그대로 여동생, 나나코, 선생님까지 바로 아군으로 끌어들이다니. 걔 혼자서 그런 게 가능했다면 방에 틀어박히지도 않았을 거야."

"틀림없지."

"그리고, 아코는 절대 모를 교섭 테크닉까지 써왔단 말이야."

"아코에게는 아군이, 그것도 믿음직한 참모가 붙어있구나."

거절당해도 여유롭고, 모두가 적으로 돌아서도 지지 않는다고 말해서 이상하다는 생각은 들었다.

그렇군. 아군이 있었다면 납득이 간다.

"그럼, 그 아군은……."

"지금까지 화제에 나오지 않은 건 한 명뿐이잖아."

그렇지…… 그 사람이겠지…….

우리의 믿음직한 길드 마스터, 고쇼인 쿄우밖에 없다.

"마스터, 수험에 한창이었으면서 뭘 하는 거야……."

"뭐, 수상하다고 생각하긴 했어."

"수상하다는 거야 마스터의 대명사 같은 느낌이지만…… 어째서?"

"말투야. 기억 안 나? 아코의 생일, 마스터가 말했잖아. 지금 시점에서 의견을 표명하는 건 그만둔다고."

"의견 표명을 그만둔다……."

의견을 표명하는 걸, 그만둔다.

즉, 의견이 없다고는 말하지 않았고, 이미 아군으로 붙은 게 아니라는 말도 하지 않았다.

그저, 표명만 하지 않았을 뿐인가!

"그 자식이……."

"마스터답긴 해."

"뭐, 그렇지."

마스터는 원래부터 아코 편을 드는 구석이 있었다. 이해는 된다.

그게 수험 스트레스로 이상하게 꼬여버려서, 뒤에서 그런 일을 하게 되었다는 건가.

"반대로 공평을 기할 생각이었을지도 몰라. 적어도 나는 니시무라 편이었을 테니까."

다른 멤버는 유동표니까, 세가와 대신 자기가 아군이 되어주었다는 건가?

아니, 그것만은 아니겠지.

"나와 아코가 결혼하면 좋겠다는 개인적 동의도 있었을 거야."

"최악의 경우에는 두 사람을 한꺼번에 돌봐줄 각오도 할 테니까. 정말이지, 강적이야."

"무거워, 무서워."

친구가 인생을 짊어져 준다니, 그건 싫다고.

"그럼……. 여기까지 상황을 알게 되었으니까, 처음 이야기로 돌아가자. 어째서 내가 긴급사태라고 말했는지 알겠어?"

그러고 보니, 처음에 말했었지.

긴급사태니까 상담하고 싶다고.

“지금까지 이야기한 바로는, 내가 처한 상황이 큰일이기는 해도 지금 이 타이밍에 긴박해진 건 아니잖아?”

이게 아코 한 명의 범행일까? 솔직히 그런 의문은 있었으니까.

“뭔가 새로운 움직임이 있었어?”

“……이건 바로 아까 전 이야기인데.”

물을 입에 머금으려다가 이제 남아있지 않다는 걸 알아챈 표정을 보이면서.

“차로 돌아가는 도중에, 아코에게 권유를 받았어.”

“권유……라니.”

“마스터에게 빌린 엄청 강한 노트북이 있으니까, 오늘은 자기 집에서 서버 최강 결정전에 나가지 않겠느냐고.”

“엄청 강한 노트북…… 아, 그러고 보니.”

후타바가 자주 오니까 우리 집에서 빌렸던 노트북은, 지금은 아코의 집으로 돌아갔다.

그 이야기를 한 건 열흘 전쯤. 밸런타인 날이었을 거다.

“그, 그때부터 계획을……?!”

“짐작 가는 게 있나 보네…….”

설마 그런, 말도 안 되잖아?!

그래도 마스터의 작전이라면…… 큭, 적으로 돌리면 성가시네!

“그, 그래도, 다른 멤버까지 권유한 숙박 모임 같은 걸지도…….”

“나와 아코뿐이야.”

“뭐어어?!”

“게다가, 아코가 다정하더라. 여행에서 돌아가는 길인데, 내가 좋아하는 걸 잔뜩 만들었더라고.”

“그건 그냥 환영하고 있을 뿐, 이라는 건…….”

“이탈리안 마피아는 죽이기 전에, 상대에게 선물을 보낸다더라.”

“아코는 딱히 마피아가 아니거든?!”

하지만 하고 싶은 말은 알겠다. 확실히 무섭다.

그, 그게, 아코를 나쁘게 말하고 싶지는 않지만, 정말 이런 생각을 하고 싶지는 않지만.

“……뭔가 위험이 없다고 단언할 수는 없다는 생각이 미약하지만 없지는 않으니까, 가는 건 그만두는 편이 나은 게…….”

“도망칠 수는 없어.”

세가와는 자신의 운명을 깨달은, 결의에 찬 표정으로 말했다.

“니시무라 앞에 서 있는 마지막 벽이 된 나를 자기 집에 부른 거야. 걔는 최종 결전을 작정한 게 틀림없어. 그럼 도망칠 수는 없잖아.”

“싸워주는 거냐, 세가와……!”

“나는 마지막까지 쭉 네 편이야.”

"너는 최고의 파트너야……."

나와 세가와는 비장한 각오로 양손을 맞잡았다.

"내 승리를 믿고 기다려줘."

"이기지 않아도 돼. 아무쪼록, 아무쪼록 무사히 돌아와줘……."

나는 눈물을 머금고 평생의 이별이라는 생각으로 세가와를 보내줬다.

정말로 아무 일 없이 끝나줘. 부탁이야……!

††† ††† †††

◆세테 : 레이디~스! 애~앤드! 젠틀매~앤!

◆세테 : 오래 기다리셨습니다! 바로 지금부터! TMW, 문벌귀족, 발렌슈타인 공동 주최!

◆세테 : 서버 최강 결정전을, 개최하겠습니다~!

대회장 전체에서 우오~!! 하는 대환성이 치솟았다.

대회장이라고 해도 PvP 필드, 대미지 하프 맵 투기장의 관객석이지만.

◆루시안 : ……세테 씨. 출전하는 거 아니었어? 왜 운영 측?

◆슈바인 : 출전자로 등록했는데, 어느새 중계진에 들어가 있었다더라.

◆아코 : 주최 길드에서 중계에 나서면 불공평한 느낌이 드

니까, 세테 씨에게 부탁했다고 해요.

◆루시안 : 아~. 뭐, 외부인이 나오는 게 낫나.

하지만 두 사람이 동시에 말하니까 왠지 안심된다.

일단 지금 시점에서는 슈도 무사한 모양이다.

◆루시안 : 괜찮아? 아직 위험한 일은 겪지 않았어?

몰래 슈에게 개인 채팅을 던졌다.

아까까지는 「괜찮아. 걱정하지 마」란 대답이 왔었는데.

◆슈바인 : ………….

◆루시안 : 이, 이봐? 슈?

◆슈바인 : ……미안. 루시안. 미안……!

◆루시안 : 무슨 일이 있었던 거야?!

뭔데?! 나는 지금 어째서 사과를 받은 건데?!

◆세테 : 그럼, 이상이 이번의 룰입니다!

아앗, 어느새 룰 설명도 끝났어!

확실히 대미지 하프에, 비싼 회복 아이템은 금지, 였던가.

나는 나가지 않으니까 상관없어서, 딱히 기억하진 않았다.

◆세테 : 마지막으로 토너먼트표인데요. 확실히 말씀드리자면, 랜덤으로는 정하지 않았습니다!

아니, 마지막에 터무니없는 소리를 꺼냈잖아.

◆세테 : 흥행이나 벨런스를 고려해서, 기대치가 높은 선수를 나누거나, 악연이 있는 상대끼리 부딪치도록 짰습니다!

◆세테 : 불만 있는 분은 우승하고 나서 말씀해주세요! 우

승자에게서 룰이 문제였다는 말이 나온다면 다들 반성하리라 생각합니다!

야유인지 환영인지는 모르겠지만 모두가 와~와~ 웅성댔고, 불꽃이나 폭발 이펙트가 여기저기서 빛났다.

이유가 엉망진창이지만, 유저 이벤트니까 이쪽은 마음대로 해도 되겠지.

최강을 정하는 것만이 목적이라면 토너먼트 표가 어떻게 나오든 결과는 변함없으니까.

◆세테 : 그럼, 기념할 만한 제1시합! 길드 앨리 캣츠의 슈바인 선수 VS 길드 앨리 캣츠의 아코 선수!

◆루시안 : ……뭐?

◆슈바인 : 바로 이 몸의 차례인가! 좀이 쑤시는구만!

◆아코 : 지지 않을 거예요, 슈!

◆루시안 : 아니, 잠깐잠깐잠깐. 어떻게 된 거야?!

아코가 나간다고?! 어째서?!

게다가 무슨 사정으로 1회전부터 두 사람이 대전하게 된 거야?!

평범하게 생각하면 같은 길드의 참가자는 떨어진 곳에 배치해야 하잖아!

◆세테 : 어~, 현재 아코 선수는 파트너인 루시안에게 프러포즈를 하고 있지만, 그쪽에서 피하는 상황이라고 합니다.

◆루시안 : 대체 뭘 폭로하는 거야, 중계에서!

많은 사람이 보고 있는데 무슨 소리를 하고 있어?!

◆세테 : 그 루시안의 아군이, 대전 상대인 슈바인 선수. 프러포즈를 성공시키려는 자와, 그 벽이 된 자. 제1시합부터 인연의 대결이네요!

◆디 : 허당ㅋㅋㅋ

◆유윤 : 한심하잖아 도망치지 마!

◆이가스 : 남자답지 않네요.

◆루시안 : 그만둬어어어어어어.

이 정신 공격은 뭐야!

바깥 구덩이를 메우는 것도 정도가 있잖아!

그리고 시합장 양쪽에서 두 사람이 천천히 걸어왔다.

◆슈바인 : 헷, 설마 여기서 아코와 싸우게 될 줄이야.

◆아코 : 당신과는 싸우고 싶지 않았어요…… 하지만, 결판을 내야겠네요!

아코는 로브를 펄럭이며 슈에게 손가락을 척 내밀었다.

◆아코 : 제가 이 싸움에서 이기면, 루시안의 편은 그만두고 제 동료 악마가 되어줘야겠어요!

◆슈바인 : 좋다! 이 몸에게 이긴다면 결혼을 인정해주마!

◆슈바인 : 하지만, 이 몸이 이긴다면 그 녀석은 포기하시지!

◆아코 : 아, 알겠어요! 반드시, 반드시 이기겠어요!

◆세테 : 이게 어떻게 된 일인가요! 프러포즈에서 도망치던 루시안의 진퇴가, 이 승부에 달리고 말았습니다!

◆루시안 : 너희들 멋대로 무슨 소리를 하는 거야아아아아아!!

나와 전혀 상관없는 곳에서 정하는 건 이상하잖아!

아, 아니, 이래도 괜찮은 건가?! 정면에서 싸우면 슈의 압승이다.

여기서 이기면 아코가 포기할 테니까 우리의 승리. 어떻게 이 조건을 받아들인 건진 모르겠지만, 역시 슈다!

◆세테 : 그럼, 시합 개시입니다!

두웅! 하는 북소리가 울렸다.

◆루시안 : 좋아, 가라 슈! 순살이다!

◆슈바인 : 우오오오오오오오!

전투 개시와 동시에 슈가 아코에게 돌진했다.

아코는 도망칠 줄 알았지만, 그 공격을 정면에서 받아냈다.

◆아코 : 승부에요! 슈!

◆루시안 : 승부라고 말해도, 슈의 공격을 맞으면 단숨에…… 어? 어라?

어라? 여유롭게 살았어?! 왜 안 죽는 거야?!

죽지 않는 건 고사하고, 전혀 통하지 않았어!

◆슈바인 : 칫, 역시 『수학여행의 목도』로는 못 깎나…… 하지만, 딱 좋은 핸디캡이지!

◆루시안 : 그거 이미테이션용인 공격력 마이너스 무기잖아!

수학여행의 목도(아이템명)는 장비하면 목도 같은 모양의 무기로 표시되기만 할 뿐이지 수치로는 공격력이 내려가는,

장식일 뿐인 무기잖아!

벼룩시장에서 산 강검 만지 히토키리마루는 어떻게 된 거야!

아니, 하지만 그렇다고 해도 너무 안 줄어드는 것 아닌가? 슈는 전신의 장비로 공격력을 올리고 있으니까, 원래는 대미지가 더 나와야 하는데…….

◆슈바인 : 역시 전신 레플리카 장비는 너무하네. 화력도 방어력도 거의 제로냐.

◆아코 : 저는 조금 핸디캡을 짊어진 것 정도로 힘을 빼지는 않으니까요!

◆슈바인 : 핫! 얕보지 말라고. 이걸로 겨우 공평한 거야!

◆루시안 : 잠깐잠깐잠까아아아안!

레플리카?! 전신의 장비가 레플리카라고?!

평소에 입던 인챈트나 강화 버프가 덕지덕지 발린 게 아니라, 겉모습만 닮은 장식용 장비를 입고 싸우고 있는 거냐고!

◆세테 : 이건 뜻밖의 전개! 힐러인 아코 선수의 공격이 근접캐인 슈바인 선수에게 통하고 있습니다! 이거 꽤 대미지가 나오는데요!

◆아코 : 나의 메이스가 빛나며 울부짖는다! 슈를 쓰러뜨리라고 번쩍이며 외친다! 먹으세요! 사랑과 분노와 슬픔의! 헤비 메이스 오브 쿼드러플 드라군+7―!

◆루시안 : 너 그런 살의 가득한 무기 든 적 없었잖아아아아아아아!

평소에는 겉모습이 귀여운 지팡이만 장비했었잖아!

그런 뾰족뾰족한 메이스, 게다가 용속성 특공 인챈트를 4중으로 건 영문 모를 무기 같은 건 어디서 가져온 거야!

대인전에서는 드래곤 나이트 말고는 통하지 않을 초특화 장비잖아!

◆슈바인 : 제법이구나. 이 몸을 쓰러뜨리기 위해 그렇게까지 하다니.

◆아코 : 저는 질 수 없어요! 사랑을 위해! 그래요, 사랑을 위해!

◆슈바인 : 핫, 으스대지 말라고! 장비에 핸디캡이 붙었다고 해봤자, 이 몸의 딜을 이길 수 있다고 생각하지 마!

◆슈바인 : ……잠깐, 진짜로 밀릴 것 같다. 자기한테 힐 쓰는 거 잊지 말라고.

◆아코 : 아, 그랬었죠. 지금 회복할게요.

◆루시안 : 지금 회복 지시 내렸지?! 그치! 그치!!

◆아코 : 이걸로, 마지막이에요!

◆슈바인 : 큭…… 너의 사랑, 잘 봤다…….

◆루시안 : 포션 정도는 쓰라고, 슈! 바로 죽으면 어떡해!

저 녀석, 자기 회복조차 내던지고 죽었어! 봐주는 것도 정도가 있지!

◆세테 : 사랑과 우정의 격전! 밀고 밀리는 열전의 결과는, 아코 선수의 승리! 이거 루시안이 업보를 청산할 때가 온 게

아닐까요!

◆디 : 당장 결혼해ㅋ

◆카보땅 : 오래도록 폭발해라!

◆루시안 : 완전히! 짜고 친 연극이잖아아아아아아아아!

슈 이 거짓말쟁이이이이이이이이! 마지막까지 내 아군이 되어준다고 했으면서어어어어어어어!

◆루시안 : 어째서야, 어째서인 거냐. 슈…… 믿고 있었는데…….

나는 시합 후에도 완전히 시무룩해졌다.

무슨 일이 있어도 그 녀석만큼은 내 편이 되어줄 거라 믿었던 탓에, 더더욱 쇼크가 크다.

◆아코 : 기운 내세요오.

◆루시안 : 시끄러워어. 주범 녀서억.

◆아코 : 루시안이 제가 아닌 여자를 믿은 게 문제라고요.

◆루시안 : 완전무섭다고오오오오그만두라고오오오오오!

아코 말고 다른 사람을 믿어도 되잖아! 뭐가 안 된다는 거야!

◆아코 : 그보다도 결승전이에요. 제대로 응원해야죠?

◆루시안 : 그런가, 벌써 결승…… 벌써?! 다른 시합은?! 마스터는?! 미캉은 어떻게 됐어?!

◆아코 : 마스터는 2회전에서, 발렌슈타인의 활 든 사람한테 졌어요.

이름은 잊어버렸지만요. 아코는 태연하게 말했다.

진짜냐. 내가 시무룩해진 사이에 그런 일이.

룰로 비싼 회복 아이템을 쓰지 못하게 됐으니까, 어쩔 수 없다면 어쩔 수 없지만.

참고로 발렌슈타인의 활 든 사람은 노엘 씨라고 해.

◆아코 : 미캉은 클라우드 씨와 좋은 승부를 하다가, 마지막에는 깔끔하게 베여서 졌어요.

◆루시안 : 상성이 너무 나빠!

아직 완전히 육성되지 못한 미캉으로는 딜 승부를 돌파할 수 없다.

좋은 승부였다면 대단한 건투다.

◆루시안 : 맞다. 애초에 아코는 어떤데? 1회전까지 진출했잖아. 짜고 친 연극으로.

◆아코 : 짜고 친 연극이 아니에요. 제 사랑의 힘이 이긴 거예요.

◆루시안 : 게임 안에서 이긴 게 아니라, 현실 세계에서 물리적으로 이겼잖아!

◆아코 : 2회전은 문벌귀족 사람하고 싸워서 5초 만에 졌어요.

◆루시안 : 역시 짜고 친 연극이잖아아아아아.

5초 만에 진 녀석이 어째서 2회전에 진출한 거냐고!

◆아코 : 자자, 봐요! 결승전이 시작돼요!

◆루시안 : 우우우, 이 원한은 잊지 않을 거니까!

누구를 저주하는 건지 모를 원한을 흩뿌리면서, 시합장으로 눈을 돌렸다.

스테이지에서 마주 보고 있는 건―.

◆†검은 마술사† : 마지막은 이렇게 될 줄 알았어.

◆바츠 : 나는 애플리코트가 와도 상관없다고 생각했는데 말이지?

◆†검은 마술사† : 그건 유감이네. 짝사랑인가.

◆바츠 : 너 따위는 상대로서 안중에도 없으니까ㅋ

◆†검은 마술사† : ……과연. 그럼 시야 밖에서 찌르기로 할까.

두 사람은 불똥을 튀기며 말다툼을 했다.

그런 그들에게 중계석에서.

◆세테 : 벌써 시합 시작했는데요? 시간이 부족하니까, 시작해주세요~!

◆바츠 : 결승전이잖냐. 조금은 융통성 있게 굴라고!

◆†검은 마술사† : 하하하, 뭐 좋아. 지금부터는 이 지팡이로 말하기로 할까.

◆바츠 : 핫, 입 다문 채로 죽어!

검은 마술사 씨의 식사 마법을 피한 바츠가 거리를 좁혔다.

마법을 사용한 빈틈을 이용하고, 자신의 플래시 블링크로 빈틈을 없앤 형태다.

서로의 사정거리가 없어진다면, 이후에는…… 이, 이후에는, 그게…….

으으음, 폭발하고, 검이 부딪치는 소리가 나고, 눈보라가 불고, 또 검이 부딪치는 소리가 나고…… 뭐야 이거? 무슨 일이 일어나고 있는 거야?

◆아코 : 저기, 뭐가 뭔지 모르겠는데, 루시안 해설 부탁할 수 있을까요?

◆루시안 : 나도 몰라.

◆아코 : 루시안도 모르나요…….

◆루시안 : 이거 완전히 야무치 시점이네.

공성전에서 바츠와 싸웠을 때, 어떤 움직임이었는지도 모르는 채 죽었던 게 떠올랐다.

과연, 진심으로 싸우면 이렇게 되는구나.

◆루시안 : 단지, 보고 알 수 있는 건 있어. 검은 마술사 씨가 밀리고 있어.

◆아코 : ……그런 느낌이 드네요. 바츠 씨가 뭘 하는지는 전혀 모르겠지만, 검은 마술사 씨는 조금 알겠어요.

검은 마술사 씨는 어디까지나 상식적인 범위의 폐인. 조건만 맞으면 마스터도 싸울 수 있다.

그러나 바츠는 종류가 다르다. 플레이어를 쓰러뜨리기 위해서 폐인이 된, 골수 플레이어 킬러.

대인전 빡겜러와 MMO 빡겜러의 차이는 역시 큰 모양이다.

◆바츠 : 자, 어떠냐? 슬슬 포션이 떨어지지 않았냐?

고속 근거리전을 벌이다 갑자기 거리를 벌린 바츠가 그렇게 도발했다.

검은 마술사 씨는 움직임을 멈추고, 천천히 채팅을 쳤다.

◆†검은 마술사† : ……두 개 남았네. 싸우면서 세고 있었던 건가?

◆바츠 : 그럴 필요는 없어. 공성 스탯의 순마(純魔)와 얼마나 싸웠다고 생각하는 거야? 감각으로 알 수 있다고.

◆†검은 마술사† : 하하, 그건 참…… 역시 못 당하겠네.

◆바츠 : 솔직하구만ㅋ 뭐, 너는 결국 이 게임의 패배자니까ㅋ

◆†검은 마술사† : 패배자……? 취소해라……! 방금 그 말……!

◆바츠 : 실제로 지고 있잖냐ㅋ 공허하구만ㅋ

뭐, 그렇지! 실제로 지기 직전이니까, 검은 마술사 씨!

양손의 검을 빙글 돌린 바츠가 다시 앞으로 나왔다.

◆바츠 : 뭐, 분수를 알게 된 건 좋은 일이지ㅋ 나한테는 이길 수 없다는 걸 이 게임의 추억으로 삼고 가라고ㅋ

◆†검은 마술사† : ……유감이지만, 이 게임에서 배운 건 또 있지.

◆바츠 : 앙?

바츠가 거리를 좁히기 전에, 검은 마술사 씨가 묘한 빛을 발했다.

동시에, 그 모습이 크게 부풀어 올랐다……?

아니다, 이건…… 몬스터다! 꽤 커다란 적, 랜드그리즈 드래곤!

크기와 강함은 상당하지만, 비전투 모드다. 바츠와 검은 마술사 씨의 사이에서 느긋하게 서 있다.

◆세테 : 어, 어라? 투기장에 몬스터가 나타났습니다! 여기는 적이 안 나오지 않나요?

중계인 세테 씨가 곤혹스러운 목소리를 냈다.

◆바츠 : 안 나와! 너, 시합 중에 가지 꺾지 말라고!

◆아코 : 가지라면, 몬스터를 부르는…….

◆루시안 : 소환 아이템이야. 그중에서도 꽤 강한 걸 부르는 녀석이지.

몇 가지 존재하는 몬스터 소환계 아이템 중에서도, 역전(歷戰)의 작은 가지는 레벨이 높은 몬스터만을 소환하는 비싼 아이템이다.

보통은 이런 투기장에 쓸 물건이 아니지만…….

◆†검은 마술사† : 어라, 반칙이라고 말할 셈인가? 룰은, 다른 플레이어의 개입은 금지. 비싼 회복 아이템은 금지. 다른 건 사용 자유야.

◆바츠 : 몹을 불러서 그 녀석한테 쓰러뜨리게 해도, 자기의 승리라는 거냐.

◆†검은 마술사† : 룰대로라면 그렇지. 불만이라도?

터무니없는 궤변이다!

룰의 구멍을 찌른 사기 같은 이론이다. 아무리 바츠라도 화를 낼 것 같았는데—

◆바츠 : 그래 좋다ㅋㅋㅋ 으~랴으랴으랴으랴ㅋㅋㅋ

◆세테 : 아~앗! 시합장에 몬스터가 대량으로! 으으응? 이거 속행해도 괜찮은 건가요?!

우와아아, 바츠도 몬스터를 소환했다! 게다가 굉장한 양!

◆†검은 마술사† : 하하하하하. 너도 가지고 있었잖아ㅋ

◆바츠 : 나는 폐회식에서 꺾을 생각이었거든ㅋ 이제 몰라ㅋ

두 사람이 엄청나게 몬스터를 소환하고 있어!

아아앗, 관객석까지 적의 대군이!

◆아코 : 구해주세요, 루시안!

◆루시안 : 타깃 가져올 테니까, 주변 사람들한테 버프 걸어! 진지하게 싸우지 않으면 당해!

정신이 들자 관객까지 통째로 몬스터와의 전투에 말려들었다.

그리고 원인이 된 두 사람은.

◆†검은 마술사† : 이야~, 이건 무리네ㅋ

◆바츠 : PvP에서 더블 녹다운이라니 말이 되냐ㄱ

한발 먼저 평범하게 죽었잖아!

◆바츠 : 네가 배운 거, 분명 그 질 나쁜 녀석들의 영향이

잖아ㅋ

◆†검은 마술사† : 때로는 꾸미지 않아도 된다는 걸 배웠을 뿐이야.

◆†검은 마술사† : 유감이지만 승부는 무승부다. 결판은 또 기회가 있으면 내기로 할까.

◆바츠 : 만에 하나, 또 어딘가에서 만난다면 말이지.

◆루시안 : 분위기 만들지 말고, 너희도 소생해서 도와!

서버 최강 결정전, 결승전은 양자 녹다운에 사실상 반칙으로 몰수 시합.

관객 전원이 몬스터와 싸우는 엉망진창 이벤트가 되어 막을 내렸다.

††† ††† †††

결승전이라는 이름의 대참사가 끝난 뒤.

마지막 아군도 잃고 절망에 잠긴 나는 배신자의 호출을 받았다.

◆슈바인 : 솔직히 미안하다고 생각해.

◆루시안 : 덩말로배딩한검니카! 슈바인씨!

◆슈바인 : 미안, 정말 미안.

◆루시안 : 절대배신누루누루!

◆슈바인 : 미안하다니까. 그래도, 그치만!

슈는 자신의 긍지였던 대검을 내던지는 모션까지 보이면서, 분한 듯이 말했다.

◆슈바인 : 나도! 자기 목숨은 아깝다고!

◆루시안 : 그런 소리를 하면 어쩔 수 없네! 무사해서 다행이잖아, 빌어먹을!

◆슈바인 : 다행히 상처 하나 없어. 그건 안심해.

그 점에서는 정말 다행이다. 여러 의미에서 안심했다.

세가와가 무사해서 다행인 것과, 아코가 위험한 일을 하지 않았다는 것.

◆루시안 : 그래도 나는 믿었는데. 무슨 일이 있어도 아군이라고 믿었는데.

◆슈바인 : 자자, 확실히 나는 배신했어. 그건 순순히 인정할게. 하지만, 배신했기에 알 수 있는 일도 있었어.

◆루시안 : ……호오? 말해보시지요.

◆슈바인 : 이 싸움은 어떻게 하든 너의 패배야. 왜냐하면, 몇 번을 거절해도 아코가 포기하지 않으니까. 이길 방법이 없잖아?

◆루시안 : 내가 무한하게 거절하면 질 일도 없잖아.

◆슈바인 : ……정말로 무한하게 거절할 수 있어?

◆루시안 : 그건 무리이긴 하지만!

최후의 아군이었던 슈까지 없어져서, 솔직히 포기하자고 생각할 정도의 심경이야!

◆슈바인 : 하지만, 나는 타개책을 찾아냈어. 네가 이길 수 있을지도 모르는, 단 하나의 멋진 방법이야.

◆루시안 : 그, 그런 방법이 있다고?!

흥미 있는 이야기가 나왔다.

배신한 건 용서할 수 없지만, 정말로 아코에게 이길 수 있다면 정상참작의 여지도 있지요!

◆루시안 : 부탁이야, 가르쳐줘!

◆슈바인 : 잘 들어. 있잖아, 사실 아코는.

◆애플리코트 : 그 이야기는 이 천재(天災) 군사, 애플리코트 님에게 맡겨주실까!

켁, 마스터?!

여기, 로드스톤 뒷골목이라고?! 어디서 나온 거야!

◆슈바인 : 뭐? 어째서 마스터가?

◆루시안 : 애초에 지금 대화, 개인 채팅이잖아? 마스터한테는 안 보이잖아?

◆슈바인 : 그럴 텐데…….

우리가 곤혹스러워하자, 마스터는 당당하게 가슴을 펴며 말했다.

◆애플리코트 : 마침내 눈치채고 말았구나! 그래. 이번 일은 아코 군이 계획한 게 아니다! 뒤에 유능한 참모가 붙어있었던 거다!

텐션 높게 달려오더니 우리 정면에서 드높이 선언했다.

◆애플리코트 : 나야말로 천재 군사 애플리코트! 모든 것을 계획한 흑막이다!

두두둥, 짜자~안! 하는 SE와 이펙트가 작렬했다.

—아, 네. 그러셨군요. 알고 있습니다.

그렇구나. 흑막의 수수께끼를 풀려고 한다고 생각해서 힘차게 튀어나온 건가.

그건 뭐랄까, 아주 조금 미안했다.

◆루시안 : 아…….

◆슈바인 : 그게…….

이 사람 어쩌지? 슈와 말없이 잠깐 바라본 뒤.

◆루시안 : 미안, 마스터. 그 이야기는 벌써 끝났어.

◆슈바인 : 지금은 조금 뒤의 이야기를 하고 있었거든.

순순히 까발리기로 했다.

◆애플리코트 : 뭐? 무슨 소리냐?

◆슈바인 : 마스터가 흑막인 건 이미 예상하고 있었어. 우리끼리 그 이야기는 이미 끝났고.

◆루시안 : 지금은 다음 이야기. 슈가 아코의 프러포즈를 막을 방법을 찾았다더라고.

◆애플리코트 : 뭐……라고……?

마스터는 으그극, 하고 분한 듯이 이마를 누른 끝에.

◆애플리코트 : 그, 그런 부분까지 상담이 진행되고 있었던 거냐?! 크, 예상 밖이군…….

진짜로 예상 밖이었던 겁니까. 정말로, 자기 이야기라고 생각해서 나온 거구나.

◆슈바인 : 이야기를 하고 싶다면, 다음은 마스터에게 양보할 건데.

◆애플리코트 : 미안하지만, 이렇게나 흐름을 타버린 아코 군을 막을 방법은 전혀 모른다.

◆루시안 : 진짜로 뭘 한 거야, 마스터.

◆슈바인 : 도움이 안 되네.

◆애플리코트 : 나는 처음부터 아코 사이드라고?! 어째서 지는 방법을 생각해야 하는 거냐?!

◆루시안 : 그렇긴 하지만! 그럼 당당하게 나오지 않아도 되니까, 흑막이나 하고 있어!

◆애플리코트 : 아니, 하지만 전원이 함락당해버리면 그건 그것대로 불공평하달까, 내 마음에 걸려서 말이지.

◆슈바인 : 아코가 너무 유리해져서 나왔다고?! 정말 귀찮은 성격이네.

「뭐, 좋아」하고 이야기를 끊은 뒤.

◆슈바인 : 그래서, 아코를 막을 방법 말인데. 오늘까지 아코는 실컷 프러포즈를 거절당해도 포기하지 않았잖아? 그 이유, 뭔지 알겠어?

◆루시안 : 뭐냐니…… 딱히 평소대로잖아? 온라인 게임에서의 프러포즈도 몇 번을 거절당해도 도전했었으니까.

그게 아코의 평소 모습이라고 생각했는데, 아니야?

◆슈바인 : 상황이 조금 달라. LA에서 프러포즈를 거절한 이유는 아코의 알맹이가 여자라고 생각하지 못했으니까, 잖아?

◆루시안 : 그렇지. 온라인 게임에 여자아이가 있다는 생각이 도저히 들지 않아서…… 그렇게 생각하지 않으면 마음이 괴로워서…… 그래서 거절했는데…….

전부 고양이공주 씨의 잘못이다.

더 자세히 말하자면, 기고만장해서 프러포즈했던 바보 같은 나의 잘못이다. 괴롭다.

◆슈바인 : 너의 트라우마는 넘어가고. 그건 말이지, 아코에게는 거절에 들어가지 않아. 왜냐하면— 걔는 생물학상 여자니까.

◆애플리코트 : 생물학상이라 한정하지 않아도, 평범하게 여성이라고 생각하는데.

◆루시안 : 아아, 그런가. 알겠어. 알맹이가 여자라고 생각하지 않으니까 거절한다는 건, 아코가 보기에는 거절했다고 말할 수 없으니까 몇 번이고 도전했던 건가.

그래서 「여자아이니까, 현실에서는 문학소녀 타입이니까, 그러니까 결혼하죠!」……그렇게 나왔던 건가.

◆루시안 : ……지금 생각하면 거절 이유가 심하네. 알맹이가 여자인지 알 수 없으니까 싫다니.

◆슈바인 : 걔한테는 다행이라고 생각해. 현실의 아코와 이

쪽의 아코가 이어진 최초의

그렇게 말하다가 채팅을 멈추더니,

◆슈바인 : 뭐, 그건 됐어. 문제는 지금의 아코야.

◆루시안 : 그러게. 옛날 일은 알았어. 하지만 지금의 나는 정말로 무리니까 거절하고 있는데…… 왜 포기하지 않는 거야?

◆애플리코트 : 나도 신경이 쓰이던 점이었다. 어째서냐? 슈바인.

둘이서 물었다.

슈는 어깨를 으쓱하는 감정표현을 하고는.

◆슈바인 : 그거, 내가 배신한 이유이기도 한데.

◆슈바인 : 걔, 이렇게 말하더라. 루시안의.

◆슈바인 : 이게 아니고. 니시무라의.

◆루시안 : 내가 뭐?

나는 짧게 채팅을 끊은 슈바인을 재촉했다.

어떤 문제가 나오는 건가 했는데.

◆슈바인 : 프러포즈를 거절하는 방식이, 전혀 너답지 않다고 했어.

◆루시안 : 거절하는 방식부터 나답지 않다니 무슨 소리야?!

영문 모를 이유가 나왔다!

그런 게 원인이 되어서 계속 프러포즈를 했다고?!

◆슈바인 : 정말로 그렇다니까. 나도 들어보니까, 확실히 너의 본심 같지는 않더라.

◆루시안 : 그렇지 않아! 고등학생인데 부부가 된다든가, 잘난 듯이 약혼한다든가, 나는 그런 게 가능할 만큼 자립한, 어엿한 인간이 아니라고!

틀림없는 본심!

그게 아니었다면 벌써 꺾였을 거야!

◆애플리코트 : 아코는 자립한, 어엿한 파트너 같은 건 원하지 않는다고 생각하는데.

◆루시안 : 내가 그러고 싶다고!

◆슈바인 : 에엥? 참말이오이까?

에에잇, 열 받는 말투나 쓰기는!

◆루시안 : 애초에, 너도 똑같은 의견이었잖아! 생각 없이 결혼하는 건 불행해진다고!

◆슈바인 : 나는 그랬지만. 잘 생각해보면, 네가 말하니까 위화감이 있더라.

◆슈바인 : 겉으로만 꾸민, 고양이공주 씨를 속일 때 같은 말 아니야?

◆루시안 : ……그럴 생각은 없었는데.

그리고 어째서인지 고양이공주 씨에게 스플댐이 들어가잖아.

◆슈바인 : 상식적인 의견도 너의 본심이라고는 생각해. 하지만, 좀 더 니시무리디운, 진짜 마음이 있는 기분이 들어……

아코도 그렇게 말했어.

◆애플리코트 : 흠, 확실히. 상식이나 당연하다는 단어, 루

시안답지는 않지.

◆루시안 : 으응? 나는 기본적으로 상식인이잖아.

◆슈바인 : 먼저 거기부터 다시 돌아봐야지.

◆루시안 : 농담하는 거지?

그야 자기 일은 자기도 모른다고 생각하거든?

하지만 나는 진심으로 생각한단 말이야. 어쩌라는 거야.

◆애플리코트 : 괜찮지 않나. 부부가 되려고 한다면, 할 말을 모두 쏟아부어서 대화하는 게 첫걸음이다.

◆애플리코트 : 너의 말로, 아코 군의 마음에 닿는 본심을 말해야겠지.

◆루시안 : 아니, 아직 부부가 되진 않겠다는 이야기를 하고 있는데…….

나의 말, 이라.

상식이라든가, 평범하게 생각하라든가, 책임이라든가 자립이라든가 어엿한 어른이라든가, 그런 일반론이 아닌.

아코의 마음에 울리는, 나의 본심…….

◆루시안 : ……아니, 평범하게 생각하면 이 타이밍에서 결혼은 빠르잖아. 역시 이게 본심이라고…….

생각해도 안 나오는데?!

나, 뭔가 잘못한 거야?!

◆슈바인 : 슈바인은 돼지니까, 네 마음속 같은 건 몰라.

◆루시안 : 내던지지 말아줘. 도와달라고!

◆슈바인 : 열심히 생각해봐. 그게 나의 마지막 어드바이스야.

◆루시안 : 그만둬어, 배신하지 말라고오…….

◆슈바인 : 모른다면, 그냥 포기하고 결혼하지 그래?

◆루시안 : 완전히 아코 쪽으로 붙는 건 그만둬어어어어어!

귀중한 어드바이스와 맞바꿔서, 나는 오늘, 마지막 동료를 잃었다.

■2월 25일 월요일

기말고사가 끝나고, 주말을 보내고, 첫 월요일이 찾아왔다.

시험 후, 첫 수업이 진행된다는 게 무슨 뜻인가. 다들 알고 있지?

그렇다. 시험 점수 확인이라는 이름의 숙청이다.

"자, 다음. 타마키~."

"부탁합니다부탁합니다. 현대문학만큼은 부디 구해주세요. 신이시여, 부처님이시여, 고양이공주님이시여……."

"그 이름을 교실에서 말하지 말렴!"

아코는 작은 목소리로 사이토 선생님과 말다툼을 하며 답안을 받았나.

아코의 긴장한 그 표정이,

"……아아…… 세이프에요……."

확 풀렸다.

아무래도 용서받은 모양이다.

"어머, 아코. 그 얼굴은 점수 좋았어?"

"저번 시험보다 올랐어요!"

"해냈네! 축하해!"

"그거 정말 다행이네. 장하다!"

"에헤헤헤헤."

아코의 머리를 확확 쓰다듬었다.

정말 애썼잖아. 칭찬해줘야지.

"헉! 맞아요! 만약 제가 더 점수가 높으면 결혼해주세요!"

"또 무지막지한 말을 꺼냈잖아……."

현대문학 점수로 결혼을 정하는 인생이라니, 대체 뭔데.

"두 사람도 뭐라 좀 말해줘."

"나는 이제 아코 편이니까."

"결혼해버려."

"어떤가요. 이 강철의 결속!"

"배신자 노옴!"

정말로 내 편이 없다.

그렇다고 결혼하자는 생각은 안 하지만!

"니시무라~, 네 차례야~."

"아, 네네."

교단에 선 선생님에게 답안을 받으러 갔다.

과연 이번 점수는—.

"정말 애썼어. 다음에는 더 위를 노리렴."

"오, 오오…… 감사합니다!"

나쁘지 않아, 나쁘지 않다고!

시험 직전에 현대문학 선생님에게 특훈을 받은 보람이 있었어!

"루시안의 그 표정, 좋았나 보네요?"

"뭐, 그럭저럭이지. 지금이라면 승부를 받아줄 수도 있다고?"

"그 말을 기다렸어요!"

아코와 둘이서, 뒤집은 답안을 나란히 놨다.

"간다, 하나~둘!"

"네!"

표면에 나타난 각자의 점수는.

"72점이에요!"

"90점!"

호호오. 아코는 70점대인가. 열심히 했잖아. 훌륭해.

"평범하게 평균점을 넘었을지도 모르겠네. 말하고 다닐 정도는 되겠어."

"그럴 수가, 80점대조차 넘어서 90점의 높이라니…… 으으, 이번에는 패배를 인정할게요."

"나와 결혼하려 하다니 10년은 이르다는 거네! 하하하!"

"그러니까 현실적인 숫자는 그만둬주세요오."

정말로, 27세가 되면 결혼해도 이상하지 않다고 생각하는데, 응.

"참고로 세가와와 아키야마는 어때?"

"맞아요. 두 사람에게는 이길지도 몰라요!"

화제가 넘어간 두 사람은, 태연하게 아무렇지도 않은 듯이.

"나는 96점."

"나 100점이었어!"

"뭐, 라고……?"

"슈네의 점수는 괴물인가요……?"

아연실색하는 우리를 가볍게 무시한 두 사람은 서로의 답안을 비교했다.

"아~, 나나코는 거기를 안 틀렸네. 나도 제대로 재검토했다면 눈치챘을 텐데."

"실전에서는 재검토를 하자는 교훈이네!"

"이, 이 성적 강자 녀석! 편차치의 폭력은 절대로 용서할 수 없어! 시험 결과에 평등을!"

"맞아요! 인간의 가치는 시험 결과로 정해지지 않아요!"

"아무도 너희가 나쁘다는 말은 안 했잖아. 90점이라면 충분하고도 남아."

"30점이 보통이었던 아코가 2학년 동안 두 배의 점수가 되었으니까, 열심히 한 거야~."

"슬퍼지니까 칭찬하지 말라고오!"

"구름 위에서 다정한 말을 하지 말아 주세요오!"

결과가 좋았는데도 약간 슬퍼진 시험지 체크도 끝.

오늘 메인 이벤트가 찾아왔다.

이벤트라고 해도 게임 이야기가 아니다. 그보다도 훨씬 중요한 이야기다.

"……왔나, 너희들. 기다렸다."

현대통신전자 유희부실.

자유 등교라 올 필요가 없는 마스터가 일부러 부실에서 기다리던 이유는 하나.

"마침내 이때가 왔나……."

"기기기, 긴장돼요!"

"벌써 자기 일 같네!"

"폭죽, 사왔어요."

"너 너무 성급하잖아. ……그래서, 마스터?"

긴장하거나, 두근대거나 하는 일동을 대표해서 세가와가 물었다.

"합격 발표, 아직 보진 않았지?"

"음. 오전 중에 발표됐을 테지만, 아직 확인하지 않았다."

오늘은 마스터가 노리던 학교의 합격 발표일이다.

대학에 가면 게시하고 있을 거고, 홈페이지에서도 발표는 하고 있다. 내일이면 자택에 결과가 배송된다.

그런 가운데에서도 마스터가.

"내 싸움의 결과를, 모두 지켜봐다오."

우리와 함께 합격 발표를 보고 싶다, 그렇게 말해줬다. 그래서 이렇게 모두 함께 결과를 확인하게 된 거다.

"모처럼 이렇게 됐으니 컴퓨터 화면으로 보자. 전원이 번호를 찾을 수 있겠지."

"수험번호는?"

"1362다. 이자 로닌[#5]으로 기억했다."

재수 없는 동음이의어로 기억하지 말라고!

"그럼 제군! 페이지를 열자!"

"나, 나왔어요!"

모두 함께 들여다본 모니터에, 합격자 일람이 표시되었다.

대량으로 늘어선 번호 속에서 1362를 찾았다.

"1355, 1359, 1360……."

"13, 62…… 이거 맞죠?"

있다. 1362가 있어!

"있어! 실려있어!"

"이건, 합격, 인가요?"

"맞지? 수험번호는 틀림없지?"

"트, 틀림없을 거다! 잠깐, 개인 페이지로도 확인해보마!"

마스터는 개인정보 입력으로 자신의 결과를 확인할 수 있

#5 로닌 로닌(浪人)은 재수생을 뜻함.

는 페이지를 열었다.

"……음. 확인했다."

크게 숨을 내쉬면서, 말했다.

"이 나는! 훌륭하게! 합, 격했다!"

"이얏호~!"

"역시 대단해요~!"

후타바의 폭죽이 빵 소리를 냈다.

모두가 환성을 내지르며 마스터를 둘러쌌다.

역시 우리의 마스터! 선두로 나가 도전해서 훌륭히 합격!

합격 요령을 전수해줘!

그렇게 한바탕 달아오른 뒤.

"……말은 이렇게 했지만, 사실 그렇게 걱정하지 않긴 했어."

세가와가 텐션을 확 낮추며 말했다.

그건 말하면 안 되죠, 세가와 씨.

"뭐, 붙을 거라고 생각했지만."

"아, 아하하…… 마스터니까요."

"떨어진다고 생각하지 않았어요."

폭죽을 산 후타바는 조금도 의심하지 않았겠지.

그야 뭐, 마스터가 평범하게 수험을 봤는데 평범하게 떨어진다니. 절대 생각할 수 없다.

사고나 사건은 있기는 해도 말이지!

"너희는 그렇게 말하지만, 나는 정말로 긴장했다고?!"

“쿄우 선배. 나도 두근두근했어!”

“너는 좋은 후배다. 세테!”

둘이서 꽉 얼싸안은 뒤, 아키야마는 나지막하게 중얼거렸다.

“근데 쿄우 선배. 먼저 응시했던 편차치 높은 대학, 있지? 그쪽 발표는 어땠어?”

“음? 그쪽은 저번 주에 합격 통지가 날아왔다.”

“저번 주에 합격 통지를 받았구나. 레벨 높은 대학.”

“그렇, 다만…… 그게 어쨌다는 거냐?”

마스터는 순수하게 의아한 듯 말했다.

뭐라고? 그럼 여기에 떨어져도, 더 레벨이 높은 대학에 합격이 정해졌다는 거야?

“뭐야, 그게…….”

“물론 진짜 노리던 곳이 중요하긴 하겠지만…….”

“실망.”

“자, 잠깐. 어디에 합격하든, 너희와 함께할 학교에 떨어지면 아무런 의미도 없어! 나는 이 대학에 진학할 거라고?!”

“그래도, 이미 재수할 걱정은 없었겠네에~?”

“우왓? 기다려라, 세테. 그렇게 힘을 주며어어어어언끄오오오오오오!”

세테가 마스터를 정면에서 안은 상태에서 어딘가 조이고 있는지, 마스터가 부자연스럽게 몸을 꼬며 괴로워했다.

“얘들아, 이런 사람이 진짜 성적 강자거든? 편차치보다,

지명도보다 배우고 싶은 걸 고른다고 말할 수 있는 수험생이 되자?"

"아니, 잠깐, 정말로 같은 학교에 합격하지 않으면 의미가…… 끄아아아! 항복! 항복이다, 세테! 탭하고 있잖나!"

"나나코~, 이후에는 축하해줘야 하니까 적당히 해~."

"괜찮아 괜찮아. 오히려 근육이 늘어나서 결림이 없어질 테니까."

"그 효과는 고맙다만, 아야야야야얏!"

우리가 무사히 시험에 통과한 날, 마스터도 무사히 시험을 돌파했다.

이런 식으로 말할 수 있었다면 좋았을 텐데…… 아무래도 마스터는 우리에게 말하지 않은 채 이미 대학 수험을 종료했던 모양이다.

그래도, 정말 기쁜 일이라는 건 틀림없다.

"합격 축하해, 마스터."

"웃으며 말하지 말고, 세테를 막…… 끄아아아아악!!"

■2월 26일 화요일

시험이 끝나고, 점수 확인도 끝나고, 합격 발표도 끝났다.

모든 속박에서 해방되어 즐거운 게임을 해야 할 이날.

◆아코 : 자, 루시안. 포기하고 저와 결혼해주세요.

◆루시안 : 크윽…… 거, 거절하겠어!

나는 이번에야말로 정말로, 아코에게 궁지에 몰려있었다.

◆아코 : 고집쟁이네요…… 그래도 혼자서 언제까지 버틸 수 있을까요. 후후후~.

◆루시안 : 젠장, 이런 대마왕과 결혼 할 수 있을 것 같냐!

◆아코 : 모든 건 사랑 때문이에요.

◆루시안 : 사랑으로 모든 게 허락된다고 생각하지 마! 젠장할!

아코가 어떻게 모두를 동료 악마로 삼았는지 전혀 알 수가 없기 때문에, 사실 나쁜 일은 전혀 하지 않았을지도 모른다.

그러나 동료가 아니라 동료 악마인 시점에서, 방향성은 마왕밖에 없다고 생각합니다.

◆슈바인 : 그보다도 오늘 이벤트야. 참가만큼은 해야지.

◆루시안 : 으으, 의욕이 안 나.

아군이 없다. 아코의 압력이 강하다.

그리고 슈에게 들었던 자신의 본심. 그것도 전혀 모르겠다.

이 상태로 이벤트를 즐기라고 해도 말이지…….

◆루시안 : 으으, 의욕은 안 나지만 힘내볼까아.

◆세테 : 기합을 넣은 이벤트는 아닌 것 같으니까, 느긋하게 하자~.

◆미캉 : 【마음 편히 하죠】

◆슈바인 : 채팅 귀찮다고 기본 문구 띄우는 건 그만둬.

그렇게 모두와 함께 오늘의 이벤트로 향했다.

리턴 오브 레전더리 에이지도 이제 종반전. 남은 이벤트는 두 개.

오늘 열린 것은 이벤트명『내구 전투 훈련』이다.

왜 훈련이 이벤트인지 플레이어로선 전혀 모르겠다.

그러나 훈련이라고 할 만큼 내용은 단순했다.

◆안내요원 : 장해물이 없는 필드에서 덮쳐오는 몬스터와 싸우셔야 합니다.

◆안내요원 : 10웨이브까지 클리어하면 보수를 입수할 수 있습니다. 열심히 참가해주세요.

이것뿐이다. 굉장히 알기 쉽다.

◆슈바인 : 으음. NPC를 지킨다든가, 함정을 설치한다든가, 기믹을 쓰라는 그런 귀찮은 건?

◆애플리코트 : 전혀 없다. 순수하게 몬스터와의 힘겨루기다.

◆세테 : 와~, 단순해~.

뭐, 이 게임은 원래 그런 사양이니까.

퀘스트나 이벤트도 있지만, 모두 함께 몬스터를 쓰러뜨리고 아이템이나 경험치를 입수하는 게 기본. 게다가 단일 강적을 잡는 게 아니라 적의 대군을 한꺼번에 쓰러뜨려서 경험치를 얻는 게 주류다.

◆아코 : 왠지 초기 시절로 돌아간 것 같네요.

◆애플리코트 : 초심으로 돌아가는 것도 나쁘지 않지.

◆미캉 : 초기가 어떤지, 몰라요.

◆아코 : 지금부터 체감할 수 있어요~.

바로 도전이다. 탱커가 나, 메인 힐러로는 아코, 딜러는 마스터, 슈, 세테 씨에 미캉이라는 평소대로의 구성이다.

선생님은 아직 시험 채점이 끝나지 않았다는 이유로 일하는 중.

휴일인데도 정말 수고 많으십니다.

◆안내요원 : 훈련을 개시합니다. 제1웨이브, 스타트.

안내 메시지가 나왔다.

처음 적은…… 뭐, 그렇겠지.

나온 건 말하지 않아도 아는 잔챙이 몬스터.

◆아코 : 포와링이네요.

◆미캉 : 많아서 귀여워요.

◆슈바인 : 그냥 잡졸이네. 당장 베어버리자.

◆애플리코트 : 기다려라.

적당히 포와링을 쓸어버리려던 슈를 마스터가 말렸다.

◆애플리코트 : 누구나 이길 수 있는 몬스터가 처음으로 배치된 이유. 그걸 생각해봐야 한다.

◆슈바인 : 응? 다시 말해?

천재 군사님이 말하기를.

◆애플리코트 : 포와링들은 전방위에서, 상당한 숫자로 다

가오고 있다. 비선공인 포와링이 처음부터 우리를 타깃으로 삼고 있지.

확실히 평소에는 초원을 폴짝폴짝 뛰어다닐 뿐인 포와링이 처음부터 우리를 쓰러뜨리려고 다가오고 있네.

◆애플리코트 : 게다가 수시로 증원도 나오고 있다. 이게 포와링이니까 웃을 수 있지만, 강력한 몬스터가 되면 그렇게 말할 수 없겠지.

강한 몬스터라면 위험하다. 과연, 그런 건가.

◆세테 : 다음부터는 더 강력한 몬스터가, 똑같이 맵 전체에서 확~ 덮쳐온다는 거네!

◆슈바인 : 악랄하네.

◆루시안 : 여기서 각오를 다지라는 건가.

다음 웨이브부터는 기합을 넣고 싸우지 않으면 안 될 것 같다.

◆슈바인 : 그럼, 램페~.

상황을 알게 된 슈가 대검을 부웅 휘둘렀다.

포와링들은 포와와와와와와와와~ 하는 슬픈 울음소리를 내지르며 일소되었다.

◆안내요원 : 제2웨이브, 스타트.

안내음성이 흘렀다.

그럼 다음 적은 뭔가 싶어서 맵과 필드를 노려보자, 주변에 대량의 늑대가 나타났다.

속도가 빠른 녀석들인가. 귀찮네!

◆애플리코트 : 플레임 팽 울프! 적정 레벨이 90을 넘는다!

◆슈바인 : 갑자기 레벨을 너무 올렸잖아!

잠깐, 숫자 많아!

전 방위에서 늑대 무리가 달려온다!

◆애플리코트 : 약점 속성은 얼음이다! PB로 간다!

◆슈바인 : 잠깐! 잘 봐! 프로스트 타이거도 섞여 있어! 얼음 흡수야!

◆애플리코트 : 에에잇, 영창을 시작해버렸다! 먼저 플레임 울프를 줄인다!

◆미캉 : 애로우 레인 애로우 레인 애로우 레인!

◆세테 : 위험해지면 울부짖을게~.

조금 놀랐지만, 어차피 적정 레벨 90의 적, 아무리 그래도 지지는 않는다.

모두가 딜을 집중하니까 간단히 쓸어버렸다.

쿨타임이 긴 버프 스킬을 써버렸는데, 다음은 괜찮을까…….

◆안내요원 : 제3웨이브, 스타트.

◆루시안 : 템포 빠르네, 인터벌도 없는 건가.

◆애플리코트 : 쉴 시간도 없지 않나!

채팅할 시간도 주지 않고 화면에 몬스터가 우르르 출몰.

이빨, 비늘, 그리고 날개. 위압감 있는 외견의 적뿐이다.

◆아코 : 이건, 드래곤이네요.

◆슈바인 : 커다란 놈부터 쁘띠 드래곤까지 모여있잖아.

◆애플리코트 : 쁘띠 드래곤은 드래곤종에 넣어도 되는 거냐?! 뮤턴트 아니냐?!

다양한 속성의 드래곤이 집결.

이건 위험하다. 속성 공격으로 일소할 수 있는 타입이 아니야!

게다가 드래곤 대책 장비는 가지고 있지 않다고!

◆루시안 : 큰일이야. 일제히 오면 죽어!

◆아코 : 꺄아아아아아아!

◆슈바인 : 드래곤 소우우우우울 너무 늦었어어어어어어!

드래곤 무리에 짓눌린 우리는 바로 전멸.

고작 2웨이브밖에 클리어하지 못하고 리타이어했다.

◆슈바인 : 무리한 퀘스트였네.

◆세테 : 참가하면 마나 피드 이어링 획득 조건은 달성이잖아? 상관없지 않을까?

◆애플리코트 : 음. 간단히 끝나서 다행이라고 생각할까.

◆루시안 : 잠깐!

우리의 목적은 참가 보수고, 10웨이브까지 클리어했을 때의 보수는, 솔직히 아무래도 좋다.

그래서 지금 퀘스트에 흥미를 잃는 건 이해한다.

이미 다음으로 의식이 넘어가고 있는 와중에 정말 미안하지만.

◆루시안 : 한 번 더 가고 싶어. 어울려주지 않겠어?

◆아코 : 어째서인가요? 의욕이 없다고 했으면서.

◆루시안 : 그렇긴 하지만!

실제로 의욕은 없었다.

프러포즈의 압력에 밀리고, 아군도 없어지고, 자신에 대해서도 모르게 돼서, 여러모로 힘들다.

하지만, 그건 그거다. 게임과는 다른 일이다.

다른 것에 정신이 팔려서 메인 탱커에 어울리는 일을 하지 못하다니, 내 몇 안 되는 자존심이 허락하지 않는다.

◆루시안 : 확실히 긴장을 풀고 있었어. 적당히 할 생각은 없었지만, 그걸로는 안 됐어!

그건 안 된다. 반성할 점밖에 없다.

◆루시안 : 정말 미안. 여러 실수가 있었어. 적어도 그곳에서 진다는 건, 결단코 납득할 수 없어!

웨이브마다 인터벌이 전혀 없는 걸 계산에 두지 않고, 2웨이브 때 버프를 모두 써버린 게 미스였다.

애초에 위치를 적당히 한가운데로 해둔 시점에서 말이 안 된다.

적의 배치, 나오는 방식에 맞춰서 몬스터를 유도하고, 아군이 싸우기 쉽게끔 하는 게 탱커의 기본인데!

◆루시안 : 얕보고 있었어. 이래선 나는 탱커 실격이야. 앨

리 캣츠의 메인 탱커로서, 명예를 만회할 기회가 필요해.

◆슈바인 : 상관은 없지만, 오명을 만회하지는 말라고ㅋ

◆세테 : 오명 만회 경찰이다! 잘못 쓴 단어니까 꼼짝 마라!

◆슈바인 : 알고 쓴 거니까 상관없잖아!

◆아코 : 루시안이 의욕이 생겼다면, 좀 더 이후까지 볼 수 있을 것 같네요.

◆미캉 : 평범하게 분하니까, 리벤지 요구.

미캉도 재도전을 받아들였다.

의욕이 생긴 우리를 본 마스터도 고개를 끄덕였다.

◆애플리코트 : 음, 확실히 본의 아닌 결과이긴 했다. 그럼 우리의 한계, 시험해보지 않겠나.

좋~았어! 마음을 다잡고 재도전이다!

◆아코 : 그럼 저도, 사랑과 분노와 슬픔의 헤비 메이스를!

◆루시안 : 아코는 회복력을 올리도록!

그 무기는 봉인 지정입니다!

◆안내요원 : 제5웨이브, 스타트.

좋~아좋아좋아. 여기까지는 잘 진행하고 있다.

◆루시안 : 역시 이 위치네. 한가운데는 아니었어.

◆아코 : 구석 작전 대정답이네요.

전 방위에서 적이 온다면, 중앙에서 기다리지 않고 네 귀퉁이에서 싸운다면 반대쪽 적이 올 때까지 시간차가 생긴다. 그 사이에 숫자를 줄이면 안정감이 늘어난다.

처음에 조금만 생각하면 알 수 있었는데, 메인 탱커로서 한심했다.

적이 좁은 곳에 모이니까 유도하기도 쉽고. 어째서 처음부터 이러지 않았던 걸까.

◆슈바인 : 다음은 뭐야. 악마? 동물? 아니면 천사?

◆아코 : 언데드에요~!

우와……. 좀비 영화처럼 대량의 언데드가 달려온다!

◆슈바인 : 잠깐. 데들리 레이스가 발밑에서 나오는 건 비겁하잖아!

◆루시안 : 바로 타깃 가져갈게!

아아, 젠장. 암내성 방어구를 가져오지 않았어!

대미지가 크다. 하지만 아코가 애쓰고 있다. 아직 버틸 수 있어!

에에잇, 월도 쓴다! SoS도!

◆루시안 : SoS 들어갑니다. 남은 시간 15초.

대미지 컷에 오토 가드로 적의 공격을 억지로 억누른다.

데들리 레이스가 위험했지만, 어찌어찌 살아남았나.

◆슈바인 : 위험해라. 그래도 밀어붙였네.

◆아코 : 해냈어요! 이걸로 조금 여유가 생겨요!

◆안내요원 : 제6웨이브, 스타트.

◆아코 : 여유를 주지 않아요!

◆애플리코트 : 정말로 인터벌이 없군!

다 쓰러뜨리면 곧바로 다음인가!

◆루시안 : 이번 몬스터는 뭐야!

화면에 푸른 이펙트가 연속해서 번쩍였다.

아, 큰일. 이거 그 녀석들이다!

◆슈바인 : 얼음! 얼음이야!

◆애플리코트 : 둔화와 동결을 주의해라!

말이야 그렇지만, 동결 대책 장비를 모두가 가지고 있을 리가 없다.

푸르게 빛나는 새, 프로즌 버드의 범위 동결 공격이 전원에게 꽂혔다.

◆세테 : 무땅이 얼음덩어리가!

◆아코 : 애초에 전원 얼어붙었어요!

두 번째 도전. 제6웨이브에서 패퇴.

◆루시안 : 젠장! 정말 미안! 내 실수야!

◆세테 : 뭐어? 루시안, 열심히 했잖아?

◆루시안 : 실패투성이야! 암내성도 사령 내성도 놔두고 왔고, 얼음 군단을 보고 나서 동결 내성으로 전환하는 것도 너무 느렸어! 그냥 전 속성 장비를 옷깃에 넣어둘게!

언데드에서 버프를 모두 쓰지 않았다면 조금 더 버틸 수 있었을 거고, 동결 내성 장비로 곧장 변환했다면 나만이라도 한동안 버틸 수 있었다.

젠장. 분하다.

◆슈바인 : 너 혼자서 반성하지 않아도 돼. 나도 특화 무기를 가져올게.

◆애플리코트 : 다음 웨이브를 알고 있다면, 여유로운 타이밍에 릴리스를 끼워 넣을 수 있지. 나도 더 할 수 있다.

◆아코 : 위치에 익숙해졌으니까, 조금 더 힐에 여유가 나올 거예요.

◆미캉 : 위험할 때는, 함정으로 시간 벌까요?

◆세테 : 그거 좋네. 나도 무땅을 달리게 할까.

◆루시안 : 좋아, 부탁해! 한 번 더! 한 번 더 가자! 다음에는 더 잘할 수 있어!

◆아코 : 가요, 루시안을 믿고 있어요.

◆루시안 : 맡겨둬. 반드시 전원을 클리어로 데려가 주겠어!

정신이 들자 프러포즈가 뭐니 본심이 뭐니, 그런 생각은 머릿속에 없었고.

그저 순수하게 몬스터와의 싸움에만 집중하게 되었다.

††† ††† †††

◆루시안 : 아코오! 앞으로 몇 웨이브으?!

◆아코 : 앞으로 1웨이브에요! 다음이 마지막이에요!

◆애플리코트 : 이건 이길 수 있다, 이길 수 있어!

◆슈바인 : 드래소의 쿨타임 돌았어!

◆루시안 : 좋~아, 예정대로!

고난 끝에, 마침내 최종 웨이브까지 도달했다!

이것만 돌파하면 보수를 얻는다! 여기가 목표!

……이긴, 한데.

◆안내요원 : 웨이브 10, 스타트.

안내음성과 동시에 나타난 것은, 다양한 종류가 뒤죽박죽 모인 산더미 같은 적.

게다가 시간마다 점점 숫자와 종류가 늘어났다.

◆슈바인 : 우와~.

◆애플리코트 : 예상은 했지만…….

◆세테 : 어~? 이래서는 약점도 대책도 아무것도 못 해~.

지금까지 나온 몬스터가 대부분 포함된 적의 무리.

편하게 쓰러뜨리는 법이나, 고를 수 있는 장비도 모르겠다.

◆미캉 : 이건 무리일지도?

◆애플리코트 : 여기까지가 한계인가…….

◆루시안 : ……아니, 방법은 있어!

아직 포기할 수 없다. 마지막까지 발버둥 친다!

좁은 맵 구석에 모인 아군을 등지고, 가까운 몬스터를 긁어모았다.

◆루시안 : 마스터, 여기에 영창 걸어줘! 우오오오오오오오!

◆아코 : 루시안?!

그대로 적을 데리고, 아군이 광역 공격의 대미지를 받지 않는 거리에서 원을 그리듯이 적을 끌고 다녔다.

◆슈바인 : 이 좁은 곳에서 트레인을 할 생각?!

가능해! 서클 트레인으로 피격 대미지를 줄인다!

100마리 이상의 적을 모두 모으며, 속도가 느린 적에 몸의 움직임을 다소 무리하게 맞추면서 피격댐이 줄어들도록 한다.

그러는 사이에 적의 움직임을 가능한 한 파악해서, 대미지가 큰 공격에는 디펜스, 회피 불가능인 마법 공격은 장비를 바꿔서 대처!

발을 멈추지 않도록, 둔화계 상태 이상은 맞는 걸 계산해서 만능약으로 대처한다!

광역 마법이 맞는 타이밍에서 작은 서클 트레인! 대미지 이펙트로 랙이 걸리니까, 랙을 미리 읽어서 선행 입력! 발은 절대 멈추지 않는다!

◆세테 : 버, 버티고 있어! 왜 안 죽는 거야?! 굉장해!

◆미캉 : 역선.

◆애플리코트 : 『그건 역시 대단하네요 선배』의 약자인 건가.

◆슈바인 : 아, 잠깐, 그거 위험하잖아! 닭퍼랑 타이밍이 겹쳐!

알고 있다는 채팅을 칠 시간도 아깝다.

데들리 레이스가 죽기 직전에 날리는 다크 퍼니셔. 매우

위력이 강한, 이른바 라스트 어택이다. 전체 공격으로 몹에게 균등하게 대미지를 줬다면, 당연히 똑같은 타이밍에 발동한다.

온다는 건 알고 있어. 그럼 대처법도 알고 있다.

이 산더미처럼 많은 적을 서클 트레인하면서, 설령 죽더라도 쓰지 않겠다며 온존했던 방어 버프를 전부 여기에!

이후에는 아슬아슬하게 한마디만 채팅을!

◆루시안 : 아코, 전력 힐!

◆아코 : 네!

아코는 내 채팅을 조금도 의심하지 않고 노 타임으로 콤보를 피니시, 엑스 힐을 사용.

거의 동시에 착탄한 다크 퍼니셔 사이에 딱 맞춰서 힐이 들어갔다.

회복 판정은, 아주 조금이지만 사망 판정보다 우선된다—고 한다!

◆슈바인 : 우왓, 살아있어! 쩔지 않아?!

◆애플리코트 : 하하하! 이것이 앨리 캣츠의 메인 탱커로구나!

내가 잘해서 넘어간 게 아니다. 운과, 기술과, 신뢰 덕분이다!

◆루시안 : 나이스 타이밍! 믿고 있었어, 아코!

◆아코 : 듣자마자 썼더니 딱 맞았을 뿐이에요!

지금까지의 경험을 살려서 아코의 반응 속도에 맞춰서 말했는데, 그래도 조금이라도 주저했다면 늦었을 거다.

역시 아코. 기술은 몰라도 마음의 신뢰도만큼은 만점이다.

◆애플리코트 : 화내성은 줄어들었다! 부탁한다, 슈바인!

◆슈바인 : 좋았어! 전부 이리로 끌고 와!

◆루시안 : 맡겼다아아아아!

이후에는 대미지를 신경 쓰지 않고, 남은 적과 함께 슈의 곁으로 달렸다.

나머지는 믿음직한 파트너(배신자)가 해줄 거다!

◆슈바인 : 먹어라, 사나운 배신의 불꽃! 드래곤 소우우우우울!

변함없이, 아니 더더욱 화력이 늘어난 드래곤 소울이 불에 내성이 없는 적을 모두 태워버렸다. 깔끔하게 모든 적이 불타버렸다.

◆루시안 : 좋았어어어어어!!

◆슈바인 : 보수 겟!

◆세테 : 클리어~!

◆미캉 : 씨익.

◆애플리코트 : 앨리 캣츠의 승리다!

◆아코 : 해냈어요!

크게 기뻐하는 우리에게, 무정한 안내음성이 선고했다.

◆안내요원 : 웨이브 11, 스타트.

◆아코 : 어째서 이어지는 건가요!

◆슈바인 : 보수는 별도고, 웨이브는 끝나지 않는 거야?!

◆루시안 : 무리이이이이! 이제 아무것도 안 남았어어어어어어!

이 이상은 아무리 해도 무리야!

우리는 아까 이상의 대군에게 어쩔 방도도 없이 삼켜졌다.

◆슈바인 : 이야~, 뜨거운 싸움이었네.

◆세테 : 그저 몬스터를 쓰러뜨리는 것뿐이었는데, 어째서 그렇게 필사적이었던 걸까~.

◆애플리코트 : 단순하기에 불타오르는 법이다. 하하하!

제대로 하면 분명 클리어할 수 있을 거다! 모두가 베스트를 내면 할 수 있을 것 같다!

그런 식으로 생각한 난이도였기에 보수를 받을 때까지 열중해버렸다.

◆아코 : 루시안, 굉장했죠!

◆애플리코트 : 음. 이것이 메인 탱커라는 활약상이었다.

◆루시안 : 아마, 이걸 요구하는 이벤트였겠지.

이 이벤트, 발렌티누스 님과는 달리 탱커가 애써야 하는 이벤트였다.

아무리 파티 전체의 딜이 강하더라도 멀뚱히 서 있기만 하는 탱커라면 버틸 수 없다.

초기부터 진지하게 노력하는 탱커가 활약하도록 만들어져 있었다.

◆루시안 : 그래도 나 혼자 애썼던 건 아니야. 아코의 힐이 좋았고, 마스터와 슈의 딜이 없었다면 도중에 밀렸을 거야.

내구력을 올린 대신 딜이 없는 나에게 있어서, 대미지를 뽑아주는 아군이 정말 고맙다.

◆루시안 : 게다가 세테 씨가 위험한 녀석을 핀포인트로 끌어내서 쓰러뜨려 줬고, 딱 좋은 지점에 덫이 깔려서 시간 벌기도 해줬으니까.

◆세테 : 아, 보고 있었구나! 열심히 했지?

◆미캉 : 내가 생각해도, 좋은 활약.

모두의 힘으로 어찌어찌 살아남았다. 정말로 고맙다.

◆루시안 : 정말로 모두 덕분에 살았어. 더 능숙해져야겠지.

◆슈바인 : 그야 더 능숙한 사람은 있겠지만, 너도 꽤 무지막지했어.

◆아코 : 어제 바츠 씨가 뭘 했는지는 알 수 없었는데, 루시안도 어떤 조작을 해서 살아남았는지 전혀 알 수 없었어요!

◆루시안 : 하던 일은 단순했는데 말이지.

일대일의 대처와 똑같은 일을 다수 대 일로 한다. 가능한 범위에서. 하는 일은 그것 정도다.

그래도 칭찬을 받으니 기쁘네. 첫 도전 때의 플레잉이 심했으니까.

◆슈바인 : 역시 우리의 메인 탱커네.

◆아코 : 저희의 메인 탱커는 루시안이니까요!

◆루시안 : 메인 탱커에 어울리도록 매일 노력하고 있으니까!

콘텐츠가 늘어날 때마다 그걸 클리어할 수 있게 연습했다.

언제나 모두의 선두에 서는 이상, 모른다거나 알 수 없다거나, 그런 말을 할 수는 없다. 어떤 기믹이라도 기억하려고 했다.

누가 묻더라도 거리낌 없이, 가슴을 펴고 내가 앨리 캣츠의 메인 탱커라고 말할 수 있는 실력이라고 자부하고 있습니다.

◆루시안 : ……어라?

그래. 자부, 하고 있다.

누가 묻더라도 거리낌 없이.

가슴을 펴고, 내가 그렇다고 말할 수 있다.

그런, 루시안.

그것이 루시안이고, 그게 나고—.

◆루시안 : 그런가…… 결국 나는…… 탱커구나.

◆아코 : 루시안? 왜 그래요?

◆루시안 : 아니, 대단한 건 아니지만.

오랜만에 개운한 마음으로 채팅을 쳤다.

◆루시안 : 단순하지만, 좋은 이벤트였다 싶어서.

◆아코 : 그러세요! 이게 레전너리 에이지에요!

자기도 눈치채지 못한 무언가란, 역시 초심으로 돌아갔을 때 나오는 법이구나.

운영진이 무슨 마음으로 개최했는지 모를 이벤트였지만, 감사만큼은 하려고 했다.

■2월 27일 수요일

리턴 오브 레전더리 에이지, 마지막 이벤트.

그건 전날에 있었던, 적을 쓰러뜨려라! 라는 단순한 이벤트보다 더욱 단순했다.

퀘스트 달성 조건은 단 하나뿐.

◆슈바인 : 한 시간 동안 채팅을 계속 치라니. 이상하네.

◆슈바인 : 영문 모를 이벤트네.

◆애플리코트 : 어제만큼 난이도가 어렵지 않은 건 고맙긴 하지만.

◆아코 : 간단하네요!

◆세테 : 평소에도 하는 일이니까.

◆고양이공주 : 맞다냐.

밤 아홉 시부터 열 시까지의 한 시간, 5분에 한 번 이상 채팅을 쳐야 한다는, 그저 그것뿐인 이벤트. 그 시간이 무리인 사람을 위해, 예비일도 설정되었다.

최종 이벤트의 이름은, 시작의 날.

마지막 이벤트의 이름이 시작이라는 건 잘 모르겠지만,

조금 세련되긴 했네.

싫어도 채팅을 계속 쳐야만 한다고 해서, 전챗도 이랬다.

◆GG 겐도 : 채팅 상대가 없으신 분, 귓속말 교류를 나누지 않겠습니까. 귓말 부탁.

◆백노토 : 이걸 기회로 친구를 늘리지 않겠습니까? 로드스톤 남쪽에서 채팅 룸 열었습니다.

◆마르세유 : 길원 모집! 이벤트만 참가, 즉시 탈퇴 OK! 물론 계속해도 환영!

◆호랑이굴 : 5분에 한 번 한 글자만 채팅해서 복붙이 완성되면 최애가 우승, 참가자 모집 중.

채팅 관련 모집이 수도 없이 흘러간다.

최근에는 거의 보지 못했을 정도로 떠들썩해서, 이건 이것대로 괜찮을지도 모른다.

◆미캉 : 지금 알아챘어요.

미캉이 길챗으로 말했다.

◆미캉 : 이 이벤트. 이거, 꽤 힘듬.

◆세테 : 그럴지도!

◆루시안 : 읽기만 하니까 말이지.

◆슈바인 : 평소에도 5분에 한 번 정도는 채팅 치고 있잖아.

◆미캉 : 모두가 떠들고 있으면, 그걸 보고 만족해서요. 오늘은 오히려 떠들지 않게 될지도.

◆아코 : 크윽—. 이해해요!

◆루시안 : 아코는 떠드는 쪽 인간이잖아!

◆아코 : 현실에서는 듣는 쪽 전문이라고요!

오히려 현실에서야말로 제대로 떠들라고! 자기 주장하자! 나와의 결혼 토크 말고!

◆세테 : 그럼 모두 이야기하기 쉬운 걸 떠들어야겠네.

◆슈바인 : 계속 말하라고 한다면 토크 테마가 필요한데, 뭔가 있어?

◆애플리코트 : 토크 테마로 구글링을 해볼까.

◆고양이공주 : 뭐든지 구글링으로 해결하려는 것도 어떤가 싶다냐…….

뭐, 우리가 스스로 생각하는 것보다 제대로 된 아이디어가 나올 것 같으니까요.

◆세테 : 좋은 테마 나왔어?

◆애플리코트 : 톱으로 나온 건 연애다. 연애 경험, 취향인 남성, 페티시.

◆세테 : 취향인 동성이면 안 돼?

◆애플리코트 : 키마시…….

◆고양이공주 : 키마시타냐.

◆슈바인 : 연애라니, 여기 있는 대부분의 사람하고는 상관없는 테마로는 이야기가 안 되잖아.

◆세테 : 그래도 그래도, 묻고 싶은 게 있습니다~!

저요저요, 라며 손을 든 세테 씨.

◆세테 : 고양이공주 씨의 연애 경험을 들려주세요~.

◆고양이공주 : 냐?

◆슈바인 : 그러게. 제일 연상이니까.

◆미캉 : 흥미, 있어요.

미캉이 쳐다보자, 고양이공주 씨는 고양이귀를 쫑긋쫑긋 움직였다.

◆고양이공주 : 그야 모두의 아이돌 고양이공주 씨다냐! 늘어선 남자들을 찢어서 던지고, 찢어서 던졌다냐!

◆세테 : 던지면 안 되지 않나?!

고양이공주 씨의 연애 토크는 신경 쓰인다. 신경 쓰이지만.

내가 지금 이야기하고 싶은 건 따로 있다.

아코에게 개인 채팅을 열고, 그곳에 글을 쳤다.

◆루시안 : 아코. 조금 중요한 이야기가 있는데, 괜찮을까?

모두와 같은 모임장에 앉아있지만, 살짝 두 사람만 붙어서 마주 봤다.

길챗을 하면서 둘이서도 몰래 이야기를 한다는, 나와 아코가 결혼하기 전에 자주 했던 대화다.

◆아코 : 그래서, 중요한 이야기, 인가요?

아코는 머리 위에 ! 마크를 띄우고선 펄쩍 뛰었다.

◆아코 : 설마 프러포즈를 받아주는 건가요?!

◆루시안 : 아니, 그건 거절할게.

◆아코 : 아닌가요…….

아코는 감정표현으로 얼굴에 세로줄을 넣어서 풀이 죽은 어필을 했다.

미안하다니까. 매번 거절해서 미안하다고 생각해.

◆아코 : 그래도 중요한 이야기잖아요. 그럼 채팅이 아니라 직접 만나서 들어줄 텐데요?

◆루시안 : 아니, 채팅이라도 좋아. 아마, 그렇게 하는 쪽이 전해질 거야.

중요한 이야기는 얼굴을 보고 하자는 말을 아코가 해준 것에 아주 약간 감동하긴 했다.

확실히 아코의 말대로, 본래라면 얼굴을 보고 해야 할 이야기다.

그러나 우리 사이라면, 분명 이곳이 제일이겠지.

◆아코 : 알겠습니다. 그 중요한 이야기라는 게 뭔가요?

◆루시안 : 나, 아코에게 사과해야만 해.

◆아코 : 네엣?

머리 위에 ! ? 가 연속해서 나왔다.

◆아코 : 어, 어째서인가요?!

◆아코 : 제가 말하는 것도 면목이 없지만, 최근 민폐를 끼치는 건 저라고 생각해요!

◆루시안 : 그건 그것대로 사실이지만!

자각이 있다면 그만둬달라고 생각하거든?!

◆루시안 : 그래도, 똑같은 이야기인가. 요즘 아코는 언제나 말하잖아. 현실에서 결혼하자고.

◆아코 : 약혼이라도 괜찮은데요?

◆루시안 : 응, 어느 쪽이든 나는 거절했잖아.

매일 프러포즈를 이어간 지 거의 한 달. 계속 거절했다.

◆루시안 : 거절할 때, 언제나 말했잖아. 고등학생이 결혼하는 건 평범하지 않다거나, 지킬 보장이 없는 약속을 하는 건 미안하다든가, 그런 일반적인 것들.

◆아코 : 네. 루시안답기는 하지만…….

채팅으로 이렇게 말하는 것도 이상하지만, 아코는 말을 흐렸다.

그렇다. 나다운 거절의 말이라고 생각한다.

평범하게, 상식적으로 생각해서, 안 되는 일.

하지만 곰곰이 생각해서, 정말로 나다운 건가 묻는다면, 과연 어떨까?

◆루시안 : 솔직히 말해서. 평소에 나는 그리 상식적인 일을 하지 않잖아.

◆아코 : ……그렇다고, 생각해요.

온라인 게임 최우선인 탓에 깊이 사귀는 현실 친구가 없다든가, 용돈 대부분을 온라인 게임 관련에 쏟아붓는다든가, 그런 일상적인 건 물론이거니와…….

자기를 신부라고 주장하는 여자아이와 사귀거나, 영문 모를 부 활동에 들어가거나, 그 부 활동의 2라는 정말로 수수께끼인 물건을 만들거나.

아마 다 셀 수도 없을 만큼 이상한 짓을 했다고 스스로도 생각한다.

◆루시안 : 평범한 고등학생을 하고 싶다거나, 책임 있는 어른이 되고 나서 결혼하고 싶다든가, 그런 것도 틀림없는 본심이야.

거짓말을 한 건 아니다.

안심감이 드는 걸 좋아하고, 무난한 것, 정석, 그런 게 중요하다. 그건 사실이다.

◆루시안 : 하지만 제일 큰 이유는 아니야.

◆아코 : 그럼 제일 큰 이유는 뭔가요……?

◆루시안 : 그게, 말이지…… 뭐라고 말해야 하나…….

이런 상황까지 왔으니 말하지 않을 수는 없다. 그러나 어떻게 말해야 전해질지 조금 고민된다.

역시 내가 깨달은 것과 똑같은 걸 전할 수밖에 없겠지.

◆루시안 : 어제 이벤트, 기억하지? 모두 함께 마구 싸워서 클리어했던 그거.

◆아코 : 네. 루시안이 대활약했죠.

◆루시안 : 응. 내가 봐도 MVP라고 생각해. 모두 칭찬했으니까.

역시 루시안. 믿음직하다.

앨리 캣츠의 메인 탱커라면서.

◆루시안 : 나는 게임과 현실은 다르다고 말해왔잖아. 그래도 모두에게 칭찬을 듣는 게 굉장히 기뻐서, 나라면 할 수 있다고 생각하는 게 즐거워서, 그래서 떠오른 거야.

게임과 현실은 다르다고 언제나 말했다.

그건 좋든 나쁘든 사실이라고 생각한다. 나는 루시안이 아니다. 루시안처럼 유능한 캐릭터가 아니다.

하지만, 그렇기에.

◆루시안 : 역시 루시안이, 나의 이상인 거야.

◆아코 : 루시안이, 루시안의?

◆루시안 : 철학적인 이야기가 아니거든?

고상한 이야기가 아니라, 그냥 부끄러운 이야기.

굉장히 단순한, 꼴사나운 이야기.

◆루시안 : 나는 현실에서도『역시 니시무라 히데키야!』,『믿음직한 메인 탱커야!』라는, 그런 말을 듣고 싶었던 거야.

◆아코 : 혀, 현실에 탱커는 없는데요?!

◆루시안 : 진지한 답변은 그만둬! 뉘앙스로 받아들이라고!

하고 싶은 말은 알고 있잖아!

◆루시안 : 현실에서도『적』은 있잖아! 나쁜 인간이거나, 험난한 현실이거나, 피할 수 없는 천재지변이라든가!

◆아코 : 있죠~. 현실의 적은 정말로 강해요.

◆루시안 : 그렇지?

특히 아코는 그런 것에 약하다. 인카운트하면 바로 큰 대미지를 입어서 단숨에 방에 틀어박히게 된다.

◆루시안 : 그러니까 나는, 현실에서도 아코 앞에서 방패를 들고 그런 적에게서 지켜주고 싶어. 지켜줄 수 있는 루시안으로 있고 싶어. 그렇게 되고 싶어.

LA 안에서는 아코의 프러포즈를 받아들였다. 받아들일 용기가 생긴 건, 내가 루시안이었기 때문이다. 모두 앞에서 싸울 수 있는, 내가 모두를 이기게 해줄 수 있다고 말할 수 있는, 자신감 있는 캐릭터였기 때문이다.

그러나, 현실의 나는 메인 탱커와는 한참 떨어진 약캐다.

아코는 함께 타락해도 된다고, 둘이서 살아갈 수 있다면 그래도 좋다고 말했다.

나는 그러기는 싫었다.

◆루시안 : 아코를 불안하게 하고 싶지 않아. 내가 하겠다고 말하면 가능할 거라고 믿어줬으면 좋겠어. 내가 든 방패 뒤에서, 안심하고 허접한 힐을 걸어줬으면 좋겠어.

이건 아코를 향한 배려 같은 게 아니라, 나의 제멋대로인 욕망이지만, 그래도.

◆루시안 : 나는 현실에서도, 아코의 탱커가 되고 싶은 거야. 그게 아니면 싫은 거라고.

◆아코 : 저의…… 탱커가.

◆루시안 : 그래. 아코 전속의, 아코만의 메인 탱커가.

◆아코 : 저의 메인 탱커…….

내가 채팅을 쳤지만, 대체 무슨 소리냐는 생각이 조금 든다.

그래도 이게 나의 본심이다.

내가 되고 싶은 건 어엿한 어른도, 책임을 질 수 있는 남자도 아니다.

상식적인 이유로 프러포즈를 거절한 게 아니다.

나는, 아코를 지킬 탱커라고 가슴을 펴고 말할 수 없어서, 그게 싫어서 거절한 거다.

◆루시안 : 그러니까, 미안해. 지금까지 평범하지 않다거나 책임을 질 수 없다고 말하면서 아코의 프러포즈를 거절했지만…… 제일 큰 이유는, 나의 어리광이야.

지금의 나는 게임 안의 루시안처럼, 아코의 메인 탱커가 되고 싶다.

일가의 메인 탱커로서 가족을 받쳐줄 수 있는 레벨도, 스킬도, 장비도 없다.

저레벨 고등학생인 나에게는, 아무것도 없다.

◆루시안 : 메인 탱커에 어울리지 않는 내가 잘난 듯이 아코와 결혼한다니 용납할 수 없어. 내가 나에게 납득할 수 없어. 인생의 플레이 스타일이 이렇다고 생각해. 그러니까, 아코는 아무것도 잘못한 거 없어.

「정말로 미안」이라고 채팅을 이어나갔다.

◆루시안 : 게임에서 했던 것처럼, 현실에서도 필요한 지식

을 늘리고, 진지하게 연습하고, 확실히 실천하고, 제대로 강해질게. 그러니까—.

한심한 어리광이지만, 부탁할 수밖에 없지만.

◆루시안 : 내가 아코의 메인 탱커가 될 때까지, 조금만 기다려주지 않겠어……?

내가 할 수 있는 대답은 이게 최선이다.

너의 고집 같은 건 아무래도 좋다는 이야기라고 생각하지만, 내 마음은 일단 알아줬으면 좋겠습니다.

◆루시안 : 아, 그래도 딱히 이 조건을 양보하지 않겠다는 건 아니야.

◆루시안 : 전해야 한다는 해답을 알고 있었으니까, 지금부터 제대로 상담해서, 서로 받아들일 수 있는 결론을 내려고 생각해서.

그래도, 먼저 사과해야겠다고 생각해서— 어라?

일단 할 말은 했는데, 아코의 대답이 없다.

◆루시안 : ……저기, 아코? 화났어?

내가 너무나도 한심한 소리를 해서 어이없어진 건가?

◆아코 : 우.

◆루시안 : 우?

◆아코 : 우후후후후에헤헤헤헤헤~.

◆루시안 : 뭐?!

갑자기 굉장히 기분 나쁜 웃음을 내고 있는데?!

◆아코 : 그치만 루시안이, 현실에서 저의 메인 탱커가 되고 싶다니!

◆루시안 : 되, 되고 싶은데.

◆아코 : 그럼, 싫지만 공부해야겠다든가! 힘든 대학에 진학하려고 정한 거라든가!

◆아코 : 전부 저의 메인 탱커가 되기 위해서였던 거네요!

◆루시안 : 구체적으로 말하면 부끄럽지만, 그런 마음이었다고 생각해.

이런 건 전부, 아코가 굉장하다고 말해줬으면 좋겠다, 믿음직하다고 생각해줬으면 좋겠다, 그런 마음에서 나온 거다.

아코와 이렇게 되기 전의 나는, 그냥 갈 수 있을 법한 대학에 들어가서 4년 내내 온라인 게임이나 하고 싶다고 생각하는 글러먹은 인간이었으니까.

◆루시안 : 그냥 나의 자기만족이지만…… 결국은 아코의 메인 탱거가 되고 싶으니까. 응.

◆아코 : 우에헤헤헤헤~.

대단히 기뻐하고 있네.

실컷 프러포즈를 거절한 이유는 마음속의 본심이 아니었다. 게다가 제멋대로인 이유로 거절한 건데. 설마 이렇게나 기뻐할 줄이야.

◆아코 : 루시안의 저의, 저만의 메인 탱커가 된다니.

◆루시안 : 그렇습니다. 그렇게 되고 싶습니다.

◆아코 : ~~~~~읏!

아코가 그 자리에서 몸부림을 치면서 찰싹찰싹 책상을 두드렸다.

◆아코 : 큥하고, 큥하고 왔어요!

◆루시안 : 큥하고 온 겁니까.

◆아코 : 두둥두둥하고 있어요!

◆루시안 : 그건 이미 부정맥이 아닐까…….

여태껏 했던 발언 중에서 제일 기뻐하고 있는 거 아닌가.

아코의 메인 탱커가 되고 싶다는 게 최고의 꼬드기는 대사라니, 내가 봐도 좀 어떤가 싶은데.

◆루시안 : 으으음, 괜찮아? 이야기는 전해졌어?

◆아코 : 네, 굉장히! 지금까지 거절당했던 게 굉장히 납득이 갔어요!

그야 지금까지의 이유로는 납득하지 못했겠지.

나의 본심, 평범한 것도 상식적인 것도 아니었으니까.

◆아코 : 용케 말했잖냐…… 그런 느낌이 났어요! 들어서 다행이에요!

◆루시안 : 사망 플래그 같은 말은 그만둬!

그야 결사의 각오로 말하긴 했지만!

아코는 붕붕 몸을 흔드는 감정표현을 한 뒤에, 그 텐션 그대로 말했다.

◆아코 : 납득했으니 어쩔 수 없네요.

◆아코 : 현실에서 결혼하는 건, 지금은 포기할게요.

너무나도 태연하게 나온 채팅이라, 순간 이해할 수 없었다.

◆루시안 : …………어? 포, 포기한다고? 아코가?!

지금까지 그런 적이 있었던가?!

이런 이야기에서는 항상 평행선을 지켰다고 생각하고 있었는데!

◆아코 : 그야 루시안, 탱커 역할만큼은 자기가 납득할 때까지 꺾이려고 하지 않잖아요.

◆루시안 : 그야 뭐, 응. 어제도 어울려달라고 했으니까.

참고할 수 있는 사이트는 본다. 공략 영상도 본다. 솔로여도 할 수 있다면 혼자 연습한다.

그래도 무리라면, 모두에게 부탁해서 연습해서라도 확실하게 가능하게 되고 싶다.

솔직히, 탱커로서의 일만큼은 그런 면이 있다.

◆아코 : 알면서도 좋아한 거니까 어쩔 수 없어요. 여기서는 제가 꺾여줄게요!

아코가 굉장히 신부 같은, 여유로운 미소를 지은 것 같았다.

그런 내가 좋아서 결혼했으니까, 이것만큼은 어쩔 수 없다. 마지못해 포기하는 게 아니라, 부드럽게 수용한 것 같은 느낌이 들었다.

아니, 그런 느낌은 안 되잖아! 아니야, 아니야! 나는 그저 아코가 포기하기를 바란 게 아니라!

◆루시안 : 잠깐잠깐! 로그에 있겠지만, 나는 지금부터 상의해서—.

◆아코 : 아니요. 괜찮아요!

아코는 오히려 기쁜 듯했다.

◆아코 : 슈가 말한 것, 겨우 진심으로 알게 됐어요. 저, 반성하지 않으면 안 되겠네요.

◆루시안 : 왜 아코가 반성을?

◆아코 : 그야, 루시안만이 아니라, 저도…….

글이 멈췄다. 아코의 움직임도 멈췄다.

책상 앞에서 숨을 가다듬는 아코의 모습이, 묘하게 리얼하게 상상이 갔다.

그리고 표시된 채팅은.

◆아코 : 아코(亜子)인 저는, 여기에 있는 저만큼, 노력하지 않았으니까요.

◆루시안 : ……아코.

아코가, 자기 이름을 한자로 아코라고 적었다.

채팅에서, 온라인 게임에서 적은 건 처음 있는 일이라고 생각한다.

◆루시안 : 그래도 아코, 온라인 게임의 자신이 진짜 자신이라고…….

◆아코 : 물론 그렇게 생각해요! 현실의 저보다는 여기에 있는 제가 훨씬 저니까요!

지팡이를 휙휙 휘두르고는.

◆아코 : 그래도…… 루시안이, 루시안이 되고 싶다고.

◆아코 : 현실에서도, 여기에 있는 우리처럼 되고 싶다고 말해줬으니까, 왠지.

◆아코 : 저도, 제가 되고 싶다는, 그런 생각이 들어서.

되고 싶다는 마음은, 온라인 게임 속의 자신과 현실의 자신은 다르다는 걸 인정하지 않으면 나오지 않는다.

아코(亜子)가, 아코(アコ)가 되고 싶다고 말했다.

지금까지 아코(アコ)가 진정한 자신이라고, 온라인 게임 속의 자신이 진짜라고 말했던 그녀가—.

깜짝 놀랐다. 믿을 수가 없다.

지금까지 없었던 놀라움과, 동요와, 기쁨과 감동이 있었다.

그래도 그런 가운데, 대단히 미안하지만.

◆루시안 : ……굉장히 좋은 말을 했는데, 아무래도 이런 생각이 든단 말이지.

◆아코 : 네?

◆루시안 : 게임 속의 못난 힐러 아코보다, 현실의 아코가 더 도움이 되는 것 같다는 생각이…….

◆아코 : 너무……하지는 않을지도 모르지만, 너무해요!

웃는 얼굴을 내거나 우는 얼굴을 내서, 기쁜 건지 슬픈 건지 모를 애매한 감정표현이었다.

◆아코 : 현실의 저는 너무 못났어요. 그런데도 결혼하자고

응석을 부렸어요.

◆루시안 : 아코…….

◆아코 : 프러포즈는 자신이 루시안을 받쳐줄 수 있게 되고 나서 해야 한다고, 슈한테 혼났거든요.

◆아코 : 그렇죠. 지금의 저는 루시안에게 어울리는 힐러라고 말할 수 없으니까요.

애용하는 지팡이를 빙글 돌리며, 힐러인 자신을 과시하듯이 말했다.

◆아코 : 루시안이 저만의 메인 탱커가 되어준다면! 저도 노력할게요!

아코가 머리 위에 하트와 십자가 마크를 펑펑 표시했다.

◆아코 : 저는 현실에서! 루시안의, 루시안만의 힐러가 될게요!

◆루시안 : ……아코가, 나만의 힐러로?

◆아코 : 네! 루시안의 신부로서 항상 치유해주는, 전속 힐러에요!

그건 뭔가, 굉장히 확 와닿는 표현이네.

현실에서 결혼한다. 신부가 된다. 그런 말을 듣는 것보다 훨씬 납득할 수 있다.

◆루시안 : ……그래. 메인 탱커와 메인 힐러의, MT와 MH의 콤비니까.

우리는 언제든, 루시안이 앞에 서서 막고 아코가 뒤에서 회복하며 싸워왔다.

상식적으로 어떻다든가, 평범한 건 어떻다든가 그런 건 모른다.

그저, 우리는 이렇게 친해졌고, 그걸 목표로 해도 된다고 생각한다.

◆루시안 : 그럼 둘이서 좀 더 노력해야겠지. 게임의 우리를 따라잡고, 뛰어넘을 정도는 되어야 하니까.

◆아코 : 장래를 생각하는 건 그 이후부터네요!

◆루시안 : 레벨 100은 역시 좀 멀긴 하지만~.

게임 속에서 결혼했으니까, 게임 속 자신들을 따라잡으면 결혼하자.

그런 마음으로 일치된 것 같다.

일방적으로 거절한다든가, 포기하고 받아들이는 게 아니라, 납득하고 앞으로 나아갈 수 있게 되어서 정말 다행이다. 배신자인 파트너의 어드바이스로 제대로 자신을 돌아보게 된 보람이 있다.

그러나, 이렇게 되면 조금 곤란한 일이 하나.

◆루시안 : 으~음. 게임과 현실은 다르다는 말을 앞으로 하기 힘들겠어.

◆아코 : 네? 어째서인가요?

◆루시안 : 나도 게임의 자신에게 얽매여 있다고 생각하니까, 잘난 듯이 말하는 게 좀 그래.

◆아코 : 후후훗.

아코가 에헴, 하고 가슴을 폈다.

◆아코 : 저는 처음부터 알고 있었어요! 그러니까 게임과 현실의 뭐가 다르냐고 줄곧 말해왔다고요!

◆루시안 : 그러게…… 오히려 게임과 현실이 달라지지 않도록 노력해야겠다 싶을 정도야…….

◆아코 : 그래도, 저도…… 사실은 현실의 제가 여기에 있는 저처럼 되었으면 좋겠다고 생각했을지도 몰라요. 현실의 저는, 신부가 아닐지도 모르는데…….

피차일반이네. 역시 끼리끼리 부부야.

뭐, 아코는『그럴지도 모른다』를 빼놓지 않는 완고함이 남아있지만.

그렇게 웃고 있자니.

◆슈바인 : 잠깐, 아코? 루시안? 드문드문 움직이는 주제에 계속 입 다물고 있는데, 퀘스트는 괜찮아?

슈가 지명해서 길챗을 날렸다.

그랬다. 둘만의 채팅으로 이야기해서 걱정을 끼쳤나.

◆루시안 : 응, 이야기해서 다행이야. 길챗으로 돌아가자.

◆아코 : 네.

아, 맞다. 잊으면 안 되지.

세이브 채팅 커맨드를 입력해서 지금 대화 로그를 보존했다.

이것도 분명, 소중한 추억이 되어줄 거다.

◆세테 : 자는 거 아냐? 퀘스트 이어지고 있어?

◆루시안 : 둘이서 이야기했으니까 괜찮아.

◆아코 : 퀘스트는 아직 진행 중이에요~.

계속 이야기했으니까. 물론 문제없다.

그때, 슈가 보낸 개인 채팅이 열렸다.

◆슈바인 : ……해결됐어?

그런 한마디만 내게 채팅으로 보내왔다.

역시 알고 있다니까.

◆루시안 : 그래, 걱정 끼쳤네. 고맙다, 파트너.

◆슈바인 : 천만의 말씀, 파트너.

◆루시안 : 그래도 배신한 건 용서할 수 없어.

◆슈바인 : 미안하다니까. 그건 정말 미안해.

절대로 용서 못 해!

◆애플리코트 : 다음 토크 테마는 뭐야?

◆세테 : 어어…… 최근에 알게 된 뜻밖의 진실!

◆슈바인 : 그럼, 줄곧 입 다물고 있던 아코와 루시안부터네.

◆아코 : 뜻밖의 진실……인가요?

한동안 고민한 뒤.

◆아코 : 그게요. 제일 뜻밖이었던 건.

장난스럽게 웃은 아코는 이런 채팅을 꺼냈다.

◆아코 : 현실의 저는, 루시안의 신부가 아닐 가능성이 조금은 있을지도 모른다는 거예요.

터무니없는 충격 발언에 전원의 움직임이 뚝 멈췄다.

◆세테 : ……어? 괜찮아? 아코.

◆슈바인 : 어, 뭐야? 아코, 죽어?

과연, 아코가 그렇게 말한다면 나는 이건가.

◆루시안 : 나도 요즘 깨달은 건데, 게임과 현실은 의외로 다르지 않아도 괜찮지 않을까 싶어.

글자가 표시된 직후, 또다시 전원의 움직임이 멈췄다.

◆슈바인 : 너, 무슨 소리를 하는 거야……?

◆미캉 : 내일은, 하늘에서 창이?

◆애플리코트 : 메테오가 떨어지는 게 아닐까?

◆고양이공주 : 이제 세상이 멸망하는 게 아닐까냐……?

◆루시안 : 다들 우리를 뭐라고 생각하는 거야.

◆아코 : 실례네요!

이상한 건 그쪽이야, 라는 전원의 채팅이 겹쳤다.

■2월 28일 목요일

2월 마지막 날. 오늘 수업은 HR뿐이다.

"봄방학은 짧지만, 긴장 풀지 말고 보내도록 하렴."

그런 이야기가 있었을 뿐 특별한 일은 없었다.

하지만 딱 하나, 평소와는 다른 게 있었다.

"그렇구나…… 내일인가……."

"빠르, 네요."

중학교에서는 모든 행사를 학생이 준비했지만, 마에가사키 고등학교는 전문 업자가 해준다.

그래서 아무런 실감도 각오도 없는 채로, 준비가 끝난 강당에 이동해서 듣게 되었다.

내일 정식 행사를 위해, 졸업식 예행연습을 한다고 한다.

지시대로 일어나고, 앉고, 교가를 부르는 척을 하고— 귀가하는 지금도 아직 현실감이 없다.

"마스터, 없어지는 건가요."

"원래는 온라인 게임에서의 연결이었잖아. 없어지는 일은 없어."

의식해서, 아코가 생각할 법한 말을 이었다.

"온라인 게임에서 함께라면, 앞으로도 언제나 함께야. 그렇잖아."

"……입학했을 때의 저는, 그렇게 생각했을 거예요."

아코는 머나먼 곳을 바라보듯이 하늘을 올려다봤다.

"그런데 지금은, 도저히 그런 생각이 안 들어서요."

"아코……."

게임이 전부, 온라인 게임 세계가 진짜 세계. 그렇게 말하던 아코라면, 이런 표현을 절대로 하지 않았을 거다.

아코는 조금 쓸쓸한 듯이, 그래도 납득한 듯이 미소를 지으며 말했다.

"그래도, 게임과 현실은, 어쩌면 똑같지 않을 가능성이 있다는 걸…… 깨닫게 돼서 다행이에요."

"깨닫지 못했다면 슬프지 않을 수도 있었는데?"

"그렇긴 하지만, 그래도."

"게임에서 함께라면 괜찮다면서 아무것도 느끼지 못하고 웃는 것보다— 슬프고 쓸쓸하지만, 그래도 축하해주고 싶어서 필사적으로 웃으며 배웅하는 편이, 분명 나을 것 같아서요."

"……그래. 응, 나도 그렇게 생각해."

"그래도, 저와 루시안은 언제나 함께죠?!"

"내년에, 둘이 함께 합격하면 말이지~."

"여기서는 응, 이라고 말해주세요오!"

"우리가 웃으면서 졸업하려면 아직 벽이 많다고?"

성적이 나아졌다고는 해도, 조금만 긴장을 풀면 다시 틀어박힐 수도 있는 게 아코다.

결국 졸업 못했습니다, 라고 말하더라도 놀랄 일이 아니다.

"우우, 여기서『결혼하죠!』라고 말하지 못하게 된 게 유감이에요."

"이번 달은 계속 그렇게 말했으니까."

어느 의미에서는 굉장한 프러포즈 타이밍이었다.

우리의 졸업은 아니지만, 졸업해도 줄곧 함께 있고 싶으니까 결혼하자는 건 꼬드기는 구실로는 이해가 간다.

"그래도, 미안하지만 포기해줘."

이 이상 아코에게 프러포즈를 받을 수는 없다.

실컷 도망쳐놓고 이제 와서지만. 남자에게는 고집이 있으니까.

"이번에는 반드시, 내 쪽에서 말할 테니까."

현실에서 제대로 된 프러포즈는, 무슨 수를 써서라도 내가 했으면 한다.

메인 탱커로서가 아니라, 아코의 파트너로서, 그 정도는 폼을 잡고 싶다.

"……네. 언제나 루시안을 기다릴게요."

아코는 부드럽게 웃으며 끄덕였다.

그리고 내 팔을 꼬옥 잡으며 말했다.

"저는 루시안의 신부니까요!"

"그러니까, 아직 아니라고 했잖아!"

"신부가 될 예정이니까요!"

"그걸 당당히 말하는 것도 안 돼!"

무슨 말을 해본들, 현실의 우리는 부부가 아니다. 아직 부부가 될 수도 없다.

그래도 게임과 마찬가지로 근사한 부부가 되기 위해 노력하는, 그런 두 사람이라고 생각한다.

형식적인 계약이나 겉치레뿐인 액세서리보다는, 이렇게 공유한 마음이 훨씬 우리를 연결해준다.

앞으로도 더 힘들겠지만, 분명 바라던 미래를 향해 걸어갈 수 있을 거다.

—그렇게, 생각했다. 행복한 미래를 믿고 있었다.

이때까지는.

에필로그
“무리일 것 같으면, 뭉개버릴래요”
And you thought there is Never a girl online?

■3월 1일 금요일

"이 학교에 입학한 날을 어제 일처럼 떠올릴 수 있다. 그런 말이, 마치 상용구처럼 쓰이고 있습니다."

단상에 오른 마스터가 부드러운 목소리로 말했다.

"하지만 솔직히 말해서 저는, 입학한 날의 일을 어제라고 할 만큼 확실하게 떠올릴 수 없습니다. 물론 인상이 흐릿했던 것도, 감동이 없었던 것도 아닙니다."

수많은 사람들 앞에서 당당히 이야기하는 모습은 몇 번이고 봐온 광경이다.

학생회장을 은퇴하고 짧지 않은 시간이 지났지만, 나에게 마스터는 언제나 회장처럼 보인다.

"그 이상으로, 이 마에가사키 고등학교에 재학한 3년간이 놀라움과 감동, 기쁨과 행복으로 가득했기 때문입니다. 저만이 아니라 졸업생 일동이 모두, 무척이나 행복하고 빛나는 3년을 보냈다는 것을 명확하게 확신하고 있습니다."

그래도, 이게 정말로 마지막으로 단상에 오른 마스터의 모습이다.

"분명 저는 이 졸업식을 잊지 못하겠죠. 그럼에도, 이 마에가사키 고등학교의 졸업생으로서 부끄럽지 않도록, 이 마음을 과거로 보낼 만큼의 비약을 노리고, 앞으로도 매일을 살아가려고 합니다."

가슴에 장식된 꽃은 졸업의 증표.

타카이시 학생회장의 송사에 답변하는, 고쇼인 교우의 답사.

"마지막으로, 여러분에게 진심으로 감사를 표하면서 저의 답사를 마치도록 하겠습니다. 3년간, 정말로 감사했습니다."

천천히 고개를 숙인 마스터에게 행사장 전체의 박수가 쏟아졌다.

분위기를 탄 학생 몇 명이 「회장님~」 하고 성원을 보냈다.

그걸 들었는지, 마스터는 단상을 떠나기 전에 훗 하고 웃었다.

"틀렸다, 제군. 나는, 전 회장이다!"

마이크가 없더라도 충분히 잘 들리는 목소리여서, 다시 박수가 쏟아졌다.

"회장님……!"

어느 의미에서는 무시를 당해버린 타카이시 학생회장이 눈물에 젖어서 중얼거린 것을 마이크가 확실히 포착했다.

그렇겠지.

모두에게 그녀는 언제나 우리의 대표였다.

졸업 축하해, 고쇼인 선배.

††† ††† †††

솔직히 말해서, 지금까지 참가했던 졸업식은 끝나면 언제나 바로 돌아갔다.

그래도 오늘은 역시 돌아갈 생각이 안 든다.

딱히 약속한 건 아니지만, 마스터가 올 것 같아서 모두 부실에서 기다리고 있었다.

"근사한 식전이었네! 나 너어무 감동해서어, 도주웅부터 계에속 우럯어어!"

"알겠어, 알겠어. 알았으니까, 나나코? 일단 눈물은 그치자?"

"어째서어 내가 당선대지 아나떤 거야아! 회장이어따면 내가 송사 일거쓸 텐데에!"

"그건 자업자득이잖아. 최유력 후보였으니까."

"그지마안!"

"루지안! 저, 제 조럽식에서도 이렇게는 안 울어써요!"

"이렇게는, 이라고 해도 아코, 자기 졸업식에서는 조금도 안 우는 타입이잖아……."

"오히려 자써요!"

"이럴 때 더 암울한 오라를 뿜는 건 그만둬어……."

뭐, 기다리는 멤버가 이런 상태이긴 하지만.

"뭐, 나도 내 졸업식보다 훨씬 감동하긴 했지만."

"너, 마스터의 답사에서 조금 울었지?"

"아니거든? 눈물이 한두 줄기 흘렀을 뿐이거든."

"완전히 울고 있었잖아. 나도 울컥하긴 했지만, 전력으로 참았거든."

"그냥 순순히 울라고."

"울면 될 텐데."

후타바가 시시한 다툼을 차가운 시선으로 바라봤다.

차가운 눈이라고 하지만, 실제로는 후타바의 눈도 새빨갛다.

이래 봬도 정이 깊은 후배다.

"……그래도 선배, 조금 압박감, 있어요."

"왜 또."

"앞으로 2년, 인생 최고의 시간을 보내라는, 압력이 있어서요."

"……뭐, 그러네. 하지만."

일방적으로 행복해지라고 떠미는 게 아니라.

"즐기기 위해서라면 언제까지고 내달려라, 그렇게 말하고 싶었던 거겠지."

"그렇다고, 생각해요."

마스터는 언제나 그런 사람이었다.

쓸데없을 때까지 튀어나오니까! 이번에도 그랬고!

그런 소리를 하던 와중, 똑똑 문을 노크하는 소리가.

마스터라면 노크는 하지 않으니까, 선생님인가 했는데.

"……실례하지. 오오, 다들 기다려준 건가."

"조럽 추카해에! 쿄우 선배에~!"

"마스터어어어어어!"

"우왓?!"

뭐야, 마스터잖아? ―그렇게 생각했을 때는 이미 두 사람이 움직이고 있었다.

울보 콤비 아키야마와 아코가 처음으로 마스터를 끌어안았다.

"보, 본인보다 더 울면 곤란하다만."

"마스터, 졸업 축하해!"

"축하해! 좋은 답사였어!"

"고맙다. 모두에게 듣기도 했으니까, 축하의 말에도 익숙해졌다."

마스터는 교내에서는 유명인이니까. 모두 축하해주겠지.

"그보다 마스터. 왜 정중하게 노크한 거야?"

"진작에 OG이긴 했지만, 졸업생이 되었으니 내부인처럼 거들먹거리는 건 좀 그렇지 않나?"

"그런 면에서, 차기 부장으로서 어때? 미캉."

세가와가 화제를 던지자, 후타바가 말했다.

"사양할 것 없음. 얼마든지 와라."

"나 참. 믿음직한 후배라니까."

"간단히 말하는데, 미캉. 올해 가을부터는 네가 부장이거든? 부의 방향성 같은 건 정했어?"

"물론."

미캉은 조금의 동요도 없이 말했다.

"애초에 온라인 게임의 부 활동에 MMO밖에 없는 게 이상. 소설 게임, 카드 게임, FPS, 레이싱, 좋아하는 사람은 모두 모을 거예요."

그녀는 전율하는 세가와에게 씨익 웃었다.

"곧바로, MMO파를, 소수파로 만들겠어요."

"그런 무서운 말을……!"

"그러니까, OB가 오더라도, 다들 신경 안 써요."

그러면서 씨익 웃었다.

"하하하. 나의 시대와는 완전히 다른 부가 될 것 같구나."

후타바에게 웃어준 마스터는 어딘가 감상적인 목소리를 내며 말했다.

"이 부를 잘 부탁한다."

"네. 졸업, 축하합니다."

마스터는 아코와 아키야마를 매단 채 후타바와 악수를 나눴다.

움켜쥔 손이 떨어지지 않은 사이, 후타바가 태연하게 말했다.

"그래도, 무리일 것 같으면, 뭉개버릴래요."

"참 담백하구나."

"무리인 건 무리."

"그래도 어쩔 수 없겠지. 말 그대로, 무리는 하지 마라."

실제로 후타바는 담백한 성격이니까 맡길 수 있다.

우리는 이 부에 애정이 너무 강하니까.

—아니, 우리는 아직 반년 이상 현역이긴 해도?!

"역시, 모두 모여있었구나."

배웅하러 온 건지, 선생님도 부실에 얼굴을 내밀었다.

모두에게 둘러싸인 마스터를 보자 선생님은 눈을 가늘게 떴다.

"고쇼인. 졸업 축하해."

"감사합니다. 선생님께서도 고생 많으셨습니다."

"정 말 그 렇 다 니 까?"

히익, 웃음이 무서워!

그렇지. 선생님이 제일 큰 피해자라고 해도 되니까.

고문이 되기도 했고, 이벤트일 때마다 끌려 나오기도 했으니 그야 힘들었겠지.

최종적으로는 부르지도 않았는데 나올 정도니까 즐기셨다고 생각하지만.

"나도, 우리 반의 졸업식도 아닌데 이렇게 감동하게 될 줄은 몰랐어."

"어라. 지금부터 그러셔서는, 내년에는 눈물의 졸업식이 되지 않겠습니까?"

"……과연 어떨까. 그 눈물은 안도의 눈물일지도 몰라."

"그런 눈으로 우리 아코를 보지 말아 주세요."

"보고 있는 건 전원이야."

"우, 우리는 그렇게까지 문제아……는, 아니겠죠?"

"니시무라가 그렇게 생각한다면 그렇겠지."

"제 마음속에서는, 말인가요?!"

그, 그런 건 거짓말이야!

최근에는 문제도 일으키지 않고 성실하게 노력하고 있잖아!

최근에는, 이라고 말하는 시점에서 이미 갈 만큼 간 것 같지만!

"그보다 울고 있는 두 사람은 이제 슬슬 떨어져. 자, 나나코."

"네에."

"아코, 마스터의 교복이 눈물로 끈적끈적해졌잖아."

"뉴우."

"이제 쓰지 않을 교복이다. 그건 상관없지만."

쓴웃음을 지으며 가슴팍의 꽃을 떼어낸 마스터는 씨익 웃으며 말했다.

"이런 분위기로는 말하기 힘든데…… 내가 제일 신경 쓰이던 일을 여기서 확인해도 될까?"

"신경 쓰이던 일이라니 뭔데?"

"그야 당연한 거지!"

마스터는 허리에 손을 대고, 트레이드 마크인 의기양양한 얼굴로 말했다.

"습득 경험치 두 배인 마나 피드 이어링이 정말로 배포되

느냐다!"

"이 상황에서 그거냐고!"

"3월 1일, 오늘 마지막 이벤트는 마나 피드 이어링이지 않나! 이걸 위해 한 달을 노력해온 거다!"

"오늘 최대의 이벤트는 마스터의 졸업식이야! 그것 말고 있겠냐고!"

아아, 정말! 이 사람은 졸업하는 날까지 변한 게 없다니까!

"뭐, 상관없잖아. 여기에 모두가 모이는 것도 마지막일지도 모르니까."

"네에. 로그인해여어."

"그으러자아!"

"두 사람. 먼저 눈물을 닦고 코를 풀어야지."

눈물 젖은 목소리의 두 사람은 선생님이 보살펴주며 자리에 앉혔다.

확실히. 마스터는 은퇴 후에도 언제나 여기에 왔었지만, 그건 같은 학교에 다녔기 때문이니까.

졸업하면, 여기에 오는 빈도는 줄어들겠지…….

왠지 나까지 울적한 기분이 되었다.

아니아니, 오히려 마지막은 웃으며 즐겨야지. 마지막이 슬픈 추억으로 남는 건 아까우니까.

쓸데없이 기합을 넣고, 레전더리 에이지에 로그인.

여느 때의 루시안으로 들어가서 자, 배포 아이템을 확인하자.

"자, 그럼. 받을 수 있을까…… 어라?"

로그인과 동시에, 화면에 팝업이 표시되었다.

"뭔가 나왔네?"

"공지 같은데……."

"으음, 게임에서 이런 형태의 공지가 여태 있었던가……?"

"본 적 없는데? 무슨 일 있었나?"

"역시 장비가 너무 강하니까 약체화한다거나 그럴 것 같은데~."

이야기를 나누면서 팝업 윈도우로 시선을 돌렸다.

운영진다운 딱딱한 문장으로 뭔가 길게 써놨다. 스케줄까지 있는데, 새로운 이벤트인가?

처음에 적혀 있는 건, 으~음?

평소에 레전더리 에이지를 이용해주셔서 정말로 감사합니다— 이번에는, 유감스럽게도 레전더리 에이지의—.

"……거짓말, 이지?"

"어째서야, 말이 안 되잖아!"

"큭. 예상은 했지만, 그래도……."

"이런 거, 정말로 있구나……."

"어……? 이거, 어……?"

"이게 무슨, 일인가냐."

너무나도 예상하지 못한 현실이었다.

아니, 솔직히 말하면, 마음 어딘가에서는 알고 있었을지도 모른다.

가능성을 느끼면서도 생각하지 않았던 거다.

주마등 같은 복각 이벤트. 억지로 투입한 다른 게임의 몬스터. 인플레이션을 조장하는 추가 장비.

그것이 가리키는 해답은 단 하나였다.

그래도, 이런 타이밍에.

나는 루시안을 목표로 하고. 아코는 게임 속의 아코를 목표로 하겠다고. 그렇게 정했었는데.

그리고 아코가 핏기가 가신 새하얀 얼굴로, 멍하니 그 말을 읽었다.

"레전더리 에이지의 서비스를…… 종료……?"

일본 전국에서 많은 학생이 고등학교 생활을 끝내는 이날.

우리의 모험도, 끝나려 하고 있었다.

계속

■역자 후기

안녕하세요. 불초 역자입니다.

이번 권은 여러모로 의미심장한 이야기가 많았네요. 지난 이야기를 돌아보는 연속 복각 이벤트, 언제나 든든한 조력자였던 마스터의 졸업, 루시안의 아코의 장래에 관한 이야기, 그리고 온라인 게임의 숙명과도 같은 섭종까지. 여러모로 완결을 향해 나아가고 있는 모습입니다. 언젠가는 올 이야기라고 생각하긴 했는데, 막상 이렇게 보게 되니까 아쉽기도 하고 그러네요.

저는 어떤 게임을 섭종까지 즐긴 적이 없어서 느껴본 적이 없지만, 오랫동안 즐겨온 게임이 섭종한다는 얘기를 들으면 확실히 충격이긴 하겠죠. 과연 이 상황에서 그들이 어떤 모습을 보여줄지 궁금해집니다.

그럼 후기는 이쯤 하고, 다음 권에서 뵙겠습니다.

온라인 게임의 신부는 여자아이가 아니라고 생각한 거야? 20

초판 1쇄 발행 2022년 9월 10일

지은이_ Kineko Shibai
일러스트_ Hisasi
옮긴이_ 이경인
일본판 오리지널 디자인_ AFTERGLOW

발행인_ 신현호
편집장_ 김승신
편집진행_ 권세라 · 최혁수 · 김경민 · 최정민
편집디자인_ 양우연
관리 · 영업_ 김민원

펴낸곳_ (주)디앤씨미디어
등록_ 2002년 4월 25일 제20-260호
주소_ 서울시 구로구 디지털로 26길 111 JnK디지털타워 503호
전화_ 02-333-2513(대표)
팩시밀리_ 02-333-2514
이메일_ lnovellove@naver.com
L노벨 공식 카페_ http://cafe.naver.com/lnovel11

ISBN 979-11-278-6542-9 04830
ISBN 979-11-278-4218-5 (세트)

값 7,800원

L NOVEL

© Matsuura, keepout 2020
KADOKAWA CORPORATION

아빠는 영웅, 엄마는 정령, 딸인 나는 전생자. 1~6권

마츠우라 지음 | keepout 일러스트 | 이신 옮김

연구직에 몰두하던 전생(前生)을 거쳐 전생(轉生)했더니
원소의 정령이 되어 있었습니다.
아버지는 전 영웅이고 어머니는 정령의 왕.
저 또한 치트 능력을 받았습니다…….
아버지와 어머니, 그리고 정령들에게 사랑을 듬뿍 받으며
쑥쑥(본의 아니게 겉모습만 빼고!) 자라던 어느 날,
아버지와 함께 방문한 인간계에서 어쩌다 보니 임금님의 주목을 받게 되고,
그 탓에 가족이 위기에……?
"확실히 부숴버릴 테니 각오해 주세요."

정령 엘렌, 전생의 지식과 정령의 힘을 구사하여
소중한 가족을 지키겠습니다!

라이트노벨의 새로운 빛! L노벨의 신간은 매월 10일에 발매됩니다. http://cafe.naver.com/lnovel11

NOVEL